ZHONG WEN DU BEN

中文读本

第二册

课程教材研究所 编著

人民教育出版社

图书在版编目（CIP）数据

中文读本：第二册/课程教材研究所编著. -北京：人民教育出版
社，2001
ISBN 978-7-107-14543-8

Ⅰ. 中…
Ⅱ. 课…
Ⅲ. 对外汉语教学-阅读教材
Ⅳ. H195.5

中国版本图书馆 CIP 数据核字（2001）第 042927 号

人民教育出版社出版发行
（北京市海淀区中关村南大街 17 号院 1 号楼　邮编：100081）
网址：http://www.pep.com.cn
北京人卫印刷厂印装　全国新华书店经销
2001 年 7 月第 1 版　2007 年 10 月第 2 次印刷
开本：890 毫米×1 240 毫米　1/16　印张：14.5
字数：133 千字　印数：4 001～6 000 册
ISBN 978-7-107-14543-8/G · 7633

编写说明

　　《中文读本》共三册，是与《标准中文》第三级课本相配套的课外阅读教材，也可以做一般的中文泛读教材使用。

　　在第二语言的学习中,大量的阅读训练是全面提高目的语交际能力的重要手段。《中文读本》就是要在学习《标准中文》第一、二级的基础上，进一步扩大学习者的课外阅读量，切实提高他们的中文阅读水平和口语交际能力。

　　《中文读本》在编写上有以下几个特点。第一，以功能、文化为纲，兼顾结构。这套教材按内容组织单元，主要编选有浓厚文化色彩的文章,同时在文章中尽可能多地复现学过的字词和语法知识。这样，既可以为学习者进一步提高阅读技巧和言语技能提供依托，又能为他们打开一扇了解华夏古代文明和现代中国社会文化生活的窗口。第二，全套教材采用旁批的形式。旁批的内容一是本课词语的英文对译或释义，帮助学习者扫除阅读障碍；二是针对文章内容提出适当的问题，检查学习者对文章的理解和把握；三是就文章涉及的语言点设计相应的练习，有利于学习者复习和巩固从课本中学到的知识。第三，全套教材编写体例整齐一致。每一册共60篇课文，分6个单元编排。每课内容包括课文、旁批、生字表（生字随文注音）、词语表等。生字要求学生能够写一写，练一练，词语要求学生认识并弄懂意思，旁批中的问题和练习希望学习者能够认认真真地完成；文前有从课文中选出的主旨句或精彩语句,帮助学习者理解课文,引起他们的阅读兴趣;文后还附有小笑话、小故事、小谜语、简短的寓言和诗歌等,形式活泼多样,内容生动有趣,力求让学习者在轻松愉快的阅读氛围中提高使用中文的能力。第四,由于《中文读本》主要做课外阅读使用,所以我们没有规定字词方面的学习目标,这个尺度和弹性由教师依据学生的程度和教学情况具体掌握。

本册课本是《中文读本》第二册,与《标准中文》第三级第二册配套使用。全册内容包括古代文化名人、家庭生活故事、童话及科幻作品、小说明文、四季生活散文和反映当代中国生活的短文。选文内容丰富,体裁多样,富有趣味性,可读性强,相信能够受到学习者的喜爱。

参加本册编写的有王本华、赵晓非、聂鸿飞、王世友、施歌。责任编辑是王世友。审稿是王本华、韩绍祥。英语部分特约唐钧、刘锦芳、袁冰审稿。

课程教材研究所
2001 年 3 月

目　　录

1 包公审石头 ………………………………………………… 1

2 鲁班的传说 ………………………………………………… 5

3 孟母三迁 …………………………………………………… 8

4 孙武练兵 …………………………………………………… 11

5 桃花源记 …………………………………………………… 15

6 大禹治水 …………………………………………………… 19

7 言而有信的曾参 …………………………………………… 23

8 蔡伦造纸 …………………………………………………… 27

9 东坡和佛印 ………………………………………………… 31

10 关羽刮骨疗毒 ……………………………………………… 35

11 爱如茉莉 …………………………………………………… 39

12 生日卡片 …………………………………………………… 42

13 秋天的怀念 ………………………………………………… 46

14 母亲的池塘 ………………………………………………… 50

15 女儿的礼物 ………………………………………………… 53

16 父亲的谜语 ………………………………………………… 57

17 父亲的爱 …………………………………………………… 61

18 别离的故事 ………………………………………………… 64

19 二十岁的生日 ……………………………………………… 67

20 我们家的男子汉 …………………………………………… 71

21 天上的星星 ………………………………………………… 74

22 豌豆上的公主 ……………………………………………… 78

23 小红帽 ……………………………………………………… 82

24 圆圆和方方 ………………………………………………… 86

25 女明星和图钉公主 ………………………………………… 90

26 金丝鸟的悲哀 ……………………………………………… 94

27 小温度计空中漫游记 ……………………………………… 98

28 新奇的足球赛 ……………………………………………… 102

29 太空医院 …………………………………………………… 106

30 我和外星人 ………………………………………………… 110

31 海的颜色……………………………………… 114

32 海底世界……………………………………… 117

33 颜色的力量…………………………………… 120

34 我所熟悉的小猫……………………………… 123

35 松鼠…………………………………………… 126

36 筷子…………………………………………… 129

37 植物中的钢铁………………………………… 132

38 太阳…………………………………………… 135

39 变幻多彩的地球……………………………… 138

40 蝴蝶与卫星…………………………………… 142

41 春……………………………………………… 145

42 挂在树梢上的风筝…………………………… 149

43 夏天也是好天气……………………………… 153

44 夏午…………………………………………… 156

45 夏之绝句……………………………………… 160

46 秋魂…………………………………………… 164

47 月迹…………………………………………… 168

48 新雪…………………………………………… 172

49 松坊溪的冬天………………………………… 175

50 济南的冬天…………………………………… 179

51 妻子下岗又上岗……………………………… 182

52 招聘考试……………………………………… 185

53 女儿的电话号码本…………………………… 188

54 司机和他的"儿子"…………………………… 191

55 真诚还在……………………………………… 195

56 晒书…………………………………………… 198

57 特殊的血型…………………………………… 201

58 两亲家比富…………………………………… 205

59 阳光洒下来…………………………………… 209

60 成都的茶馆…………………………………… 213

生字表 ………………………………………… 217

词语表 ………………………………………… 221

包公想了想说："孩子，你别担心，一定是这块石头偷了你的钱。我来审问审问它，让它把钱还给你。"

 ## 1 包公审石头

包公是宋朝时有名的清官，他清正廉(lián)明，处处为普通老百姓着想，人们都很尊敬他。

有一次，包公出去办事，半路上，突然看见一个孩子正坐在一块石头上伤心地哭。那个孩子大概十一二岁，穿得十分破旧，他的身边还放着一只空篮子。

"孩子，你为什么哭呀？"包公走过去，关切地问。

"我……我卖油条的钱不见了。我妈妈病了，我还等着用这笔钱给妈妈买药呢！"

"你记不记得你把钱放在什么地方了？"

"当然记得，我的钱袋明明就放在这只篮子里。"孩子呜咽(wū yè)着回答，"刚才有人在这儿变戏法，挺热

审问：interrogate

清官：honest and upright official
清正廉明：clean and upright
❖ 区别"廉、赚"，分别组词。
着想：consider (the interests of sb.)

破旧：worn-out

关切：considerately; thoughtfully
油条：deep-fried twisted dough sticks
★ 那个孩子为什么哭？

钱袋：money bag
呜咽：sob; whimper
变戏法：perform conjuring tricks

1

闹的，好多人围着看。我也站在这块石头上看了一会儿。后来戏法演完了，我准备拎着篮子回家，这时候才发现钱不见了。唉，现在可怎么办哪！"

包公想了想说："孩子，你别担心，一定是这块石头偷了你的钱。我来审问审问它，让它把钱还给你。"

"石头？"孩子擦了擦眼泪，疑惑地问。

"石头！"包公笑了笑，肯定地回答。

包公要审石头？这件事像长了翅膀一样，迅速传遍了全城。人们听说后都跑来看热闹，一会儿就把大街围了个水泄不通。

"石头，快说！铜（tóng）钱是不是你偷的？"包公问。

石头当然不会回答。

"大胆的石头！你还敢不说！来，给我狠狠地打！"几个差役（chāi yì）拿起棍子，使劲向石头打去。周围看热闹的人忍不住大笑起来。

包公十分生气地说："你们竟敢嘲笑我！来，每人罚一个铜钱！"

包公叫人端来一盆水，让人们一

✤ 你能用"俞"组成另外的字吗？

铜钱：copper coin

大胆：daring

差役：runner or bailiff in a goverment office in feudal China

✤ 写出"差"的不同读音，分别组词。

个接一个地把铜钱丢进水里。他黑着脸，静静地看着。突然，包公指着一个穿蓝色衣服的男人说："是你偷了孩子的钱，快把铜钱交出来！"那人脸上现出惊慌的神色，刚转身想溜，就被等候在一边的差役抓了过来。从他的身上果然搜到了那个孩子的钱袋。

周围的人们既佩服又奇怪，纷纷问："包大人，您是怎么知道他是真正的小偷的？"包公说："很简单。那个孩子的钱放在盛油条的篮子里。你们看，只有他丢下铜钱后，水面上浮起了一层油花，所以铜钱一定是他偷的。"原来是这样，人们不由得都连声称赞包公的机智。

★ "丢"在"丢进水里"和"丢钱"中意思一样吗？

♣ "黑着脸"是什么意思？

小偷：thief

油花：drops of oil on the surface of soup, water, etc.

机智：resourcefulness; quick wit

★ 包公为什么要审不会说话的石头？你觉得他聪明在什么地方？

廉					呜					铜				
役														

审问　　清官　　着想　　破旧　　关切　　油条

钱袋　　呜咽　　铜钱　　大胆　　差役　　小偷

油花　　机智　　变戏法　　清正廉明

3

想一想

　　有一所房子里住着兄弟二人。一天早上，哥哥突然死在床上，弟弟急忙去官府报案（report a case）。包公让弟弟详细说说当天所发生的事情。弟弟说："我哥哥的身体一直不太好。那天晚上他做了个可怕的梦，梦见一个妖怪向他扑来，结果哥哥就被吓死了。"包公说："不对，你哥哥的死一定和你有关！"包公为什么这么说呢？

鲁班把手里的野草扔到地上，忽然发现手指被草拉[lá]破了好几个小口子。他觉得很奇怪，一棵草为什么这么厉害呢？

拉：cut
口子：cut; wound

 ## 2 鲁班的传说

鲁班是中国古代一位著名的工匠。在长期的劳动中，他积累了丰富的经验，发明了许多生产工具。因此，人们非常敬爱鲁班，把他看做是中国历史上优秀工匠的代表，在民间还留下了很多关于鲁班的传说。

生产：production
敬爱：respect and love

据说有一次，鲁班接受了一项建造宫殿的任务。这个工程需要用很多大的木料，而工期又特别紧。他派了一大批年轻力壮的小伙子上山砍树。但是用斧子砍树，又慢又累，一天砍不了几棵。木头供应不上，整个工程就只能停下来。这么大的工程，怎么才能按时完成呢？鲁班心里很着急，决定亲自到山上去看看。

供应：provide; supply

按时：on schedule; on time
★ 鲁班为什么那么着急？

那座山非常陡，必须用手抓住树根、野草什么的，才能一步一步地前

树根：root of a tree
♣ 用"什么的"造句。

进。鲁班正小心翼翼地往上爬的时候，脚下蹬着的一块石头突然松动了。他急忙伸手抓住一丛野草，结果那丛野草被连根拔起，鲁班"哎呀"一声从山上摔了下来。他身上摔破了好几处，手上还紧紧抓着那把草呢！鲁班把手里的野草扔到地上，忽然发现手指被草拉破了好几个小口子。他觉得很奇怪，一棵草为什么这么厉害呢？他一时想不出道理来，就拔了几棵这样的草，拿回家去研究。

鲁班仔细地观察这种草，发现草的叶子两边长着许多锋利的小齿，他的手指就是被这些小齿拉破的。这本来是件小事，可是鲁班从这里得到了很大的启发。他想：要是照那种草的样子做一条有齿的长铁片，不就成了一种锋利的工具了吗？用这样的工具锯树，一定比用斧子砍树快得多。于是鲁班忙去请来铁匠，让他们在薄薄的铁条上做上许多小齿。做好后试着用它锯木头，果然又快又省力。鲁班给这种新发明的工具起了个名字叫做"锯"。后来，他又给锯安上一个"工"字形的把手，用起来就更方便[biàn]了。

松动：loose

连根拔起：be uprooted

齿：a tooth-like part of something

★那种草为什么那么厉害？鲁班从中受到了什么启发？

铁匠：blacksmith

省力：save labour

把手：handle; grip

方便：convenient

有了锯，砍木头就快多了，宫殿很快就盖了起来。大家都夸鲁班能干，也有人开玩笑说："鲁班师傅摔了一跤(jiāo)，抓了一把草，就造出了铁锯，真了不起！"

据说，不光是锯，还有许多别的劳动工具也是鲁班发明出来的。

千百年来，鲁班成了劳动人民聪明智慧的化身。人们为了表达对他的敬爱，把许多创造发明都集中在他身上。其实，近年来的发现已经证明：在鲁班之前，就有人发明了锯。实际上，鲁班的故事已经不是他一个人的故事了，而成了中国古代劳动人民集体智慧的象征。

能干：capable

摔跤：tumble; trip and fall

♣ 读一读:

摔跤——摔了一跤

打仗——打了一仗

见面——见了一面

吵架——吵了一架

化身：embodiment

集中：concentrate

集体：collective

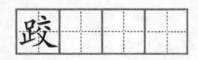

跤

拉　　　齿　　　口子　　　生产　　　敬爱　　　供应
按时　　树根　　松动　　　铁匠　　　省力　　　把手
方便　　能干　　摔跤　　　化身　　　集中　　　集体
连根拔起

猜一猜

一条铁龙牙齿多，
来来往往如穿梭(suō, shuttle back and forth)。
咬得木头沙沙响，
阵阵雪花往下落。

（打一种工具）

孟(mèng)母觉得小孩子处在这样的环境下也是不会有出息的，于是她下决心再次搬家。

3 孟母三迁

孟子是中国伟大的思想家、政治家、教育家，他继承和发展了孔子的思想，在历史上产生过很大的影响。

孟子生在一个贵族家庭。但是，到他出生的时候，家里已经不太富裕了。他三岁的时候就死了父亲，母亲辛辛苦苦把他养大，过着清贫(pín)的生活。

孟子的母亲非常重视对儿子的教育。起初，她家附近有一大片坟地，经常有人在那里埋死人。孟子年纪小，好奇心强，整天跟着看热闹。孟母发现儿子经常和小伙伴们玩送葬的游戏。她生气极了，觉得再这样住下去，儿子将来不会有什么大的发展，于是就带着孟子从那个地方搬走了。

他们的新家靠近市场，每天看到的尽是商人小贩(fàn)在做买卖。孟子

出息: prospects; a bright future

★ 你能根据全文说说"迁"字的意思吗？

继承: inherit

贵族: noble; aristocrat

清贫: poor

坟地: graveyard

送葬: attend a funeral

❖ "有大的发展"是什么意思？

小贩: peddler

❖ 区别"贩、版、返"，分别组词。

8

很快又去学商人的样子，一会儿打扮成屠（tú）夫，宰杀用泥做的小猪；一会儿又假装成卖布的商人，同顾客讨价还价。孟母觉得小孩子处在这样的环境下也是不会有出息的，于是她下决心再次搬家。

这一次孟母经过慎重的选择，在一所学校附近住了下来。搬到新家没几天，孟子就被学校里一群孩子的读书声吸引住了。从此，他几乎每天都跑到学校里来，在一旁出神地听先生讲课和学生念书，观看学生学习各种礼节。渐渐地，他也学起来了。孟子约了一帮孩子，在自己家里认真地练习刚学来的礼节。看着孩子们一本正经的样子，孟母欣慰地笑了。

后来孟母开始亲自教孟子读书。她对儿子的要求十分严格，每天学过的功课都要求他必须会背诵。一天，夜已经很深了，孟子仍然在聚精会神地读书，孟母在一旁织布。突然，孟子读书的声音停住了。孟母转头一看，只见儿子打了一个哈欠，合上书，两眼怔（zhèng）怔地望着前方。孟母停止了织布，叫儿子过来，问："怎么不念书了？""母亲，我累了，剩下的功

屠夫：butcher

讨价还价：bargain

★ 孟母两次搬家的原因分别是什么？

慎重：cautious; careful

礼节：courtesy; ceremony

❖ "大约、相约、约定、不约而同"中，哪些词里的"约"与文中的"约"意思相同？

欣慰：be gratified

功课：schoolwork; homework

哈欠：yawn

怔怔：(stare) blankly

课明天再念吧,反正书是永远也读不完的。"孟母听了,突然拿起剪刀,一下子剪断了正在织的布。她流着泪对孟子说:"学习跟织布一样,是不能断的,断了就接不起来了! 你现在不好好学习,就会前功尽弃的!"孟子深受教育,他对母亲说:"我一定记住您的话。"从此以后他更加努力地学习,后来终于成了大学问家。

(选自《中华人物故事全书》,有改动)

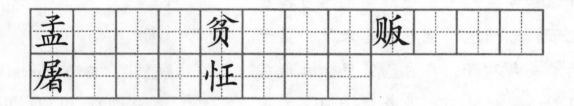

前功尽弃: all one's previous efforts are wasted

★ 孟子的母亲为什么剪断正在织的布? 你对这件事怎么看?

| 孟 | | | | | 贫 | | | | 贩 | | | |
| 屠 | | | | | 怔 | | | | | | | |

出息　　继承　　贵族　　清贫　　坟地　　送葬

小贩　　屠夫　　慎重　　礼节　　欣慰　　功课

哈欠　　怔怔　　讨价还价　　前功尽弃

读一读

近朱者赤, 近墨者黑

汉语中有一个成语叫"近朱者赤,近墨者黑"。它表面上的意思是:如果接近朱红,就会被染成红色;如果接近墨色,就会被染成黑色。实际上比喻环境对人的发展非常重要,接近好人常会使人变好,接近坏人常会使人变坏。

不管是谁，只要违反军中的纪律，就必须受到惩罚。

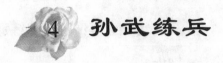 4 孙武练兵

孙武是春秋时期齐国人，是一位出色的军事家。他所写的《孙子兵法》是中国古代最早最著名的军事著作，对后人产生过很大的影响。

有一年，孙武从齐国来到吴国，那时吴国一直在受楚国的欺侮。吴王非常想振(zhèn)兴自己的国家。他听说孙武对用兵打仗很有研究，就派人把孙武请到宫中。

吴王客气地说："我很佩服您的学问，不知道您能不能训练一支军队？""当然可以。"孙武爽快地回答。吴王看到孙武自信的样子，突然冒出一个奇怪的想法："那么，让您训练一队女兵行吗？""行啊！"孙武回答得很干脆。"那好，明天一早，我叫一些宫女出来，请您训练一下好吗？""好的，我一定尽量使大王满意。"孙武说，"不过，训练军队不是开玩笑，最

纪律: discipline

军事家: militarist

✿ 读一读:

思想家　教育家　政治家　军事家

文学家　书法家　科学家　艺术家

哲学家　探险家　天文学家

兵法: military science

振兴: develop vigorously; rejuvenate

爽快: frankly

干脆: clear-cut; straightforward

宫女: a maid in an imperial palace

重要的是士兵要服从军队的纪律。大王叫我训练女兵，也要按纪律办事。"
"那当然，一切都听您的指挥好了。"吴王满口答应。

第二天一早，吴王命令一百八十名宫女集合起来，等候训练。宫女们一边说笑着，一边向广场走去。广场中间已经搭好了一个台子，两边站着威武的士兵。鼓声响了，孙武身穿将军服，大步跨到台上。他把这些宫女分成两队，又选了两个吴王最喜欢的宫女当队长。

孙武先把训练的方法和动作讲了一遍，接着又宣(xuān)布了军队的纪律，最后他问："你们都听清楚了吗？""听清楚了。"宫女们回答。于是孙武下令开始训练。想不到宫女们听到命令，一下子笑成一团。原来她们以为这是在闹着玩，刚才孙武的话谁也没认真听。现在看到孙武一本正经的样子，都觉得很好笑，尤其是那两个队长，笑得都直不起腰了。

看到这种情况，孙武并没有生气，而是又耐心地把纪律和动作交代了一遍，然后第二次发出命令。可这次宫女们笑得更厉害了，简直不成样子。

服从：obey

♣"满口答应"是什么意思？
★吴王为什么要请孙武训练那些宫女？

集合：assemble; muster
广场：square

队长：team leader, captain

宣布：declare

下令：give orders, command

好笑：laughable; funny

交代：explain; make clear

忽然，台上鼓声如雷，孙武严厉地说："纪律和动作已经反复讲过了，你们还是不按规定的去做。这是故意违反纪律。队长带头破坏纪律，就应该受到惩罚！"说完，他大声命令左右的士兵："把两个队长拉下去砍了！"

　　这时吴王正坐在远处看表演。他原以为孙武学问虽好，可拿这些宫女们不会有什么办法。当看到孙武真的要杀他最喜欢的宫女时，不禁大吃一惊，忙派人对孙武说："您的本领我全知道了，您还是饶(ráo)了她们吧。""不行！"孙武斩钉截铁地回答，"不管是谁，只要违反军中的纪律，就必须受到惩罚。"结果他还是杀了这两个宫女，另选了两个当队长。

　　"咚(dōng)，咚，咚！"训练的鼓声又响了，这次的情况可大不相同了。宫女们都聚精会神地听从命令，完全按照要求的动作进行训练，跟真正的军队一样。

　　吴王不得不佩服孙武的才能。后来孙武最终帮助吴王打败了强大的楚国。

（选自《中华人物故事全书》，有改动）

严厉：sternly; severely

带头：take the lead; set an example

★ 孙武为什么要杀那两个宫女？
　 这对其他人有什么影响？

饶：forgive

斩钉截铁：resolutely and decisively

★ 宫女们这一次为什么听从命令了
　 呢？

13

振	振			宣				饶				
咚												

饶　　　纪律　　　兵法　　　振兴　　　爽快　　　干脆

宫女　　　服从　　　集合　　　广场　　　队长　　　宣布

下令　　　好笑　　　交代　　　严厉　　　带头　　　军事家

斩钉截铁

想一想

有一次，孙武在练兵时，吴王给他出了一个难题(puzzle)：让他把图中三人一排的军队，通过移动两个人，变成四人一排、一共三排。孙武稍加思考就做到了，你不想试一试吗？

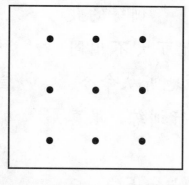

其实，世上哪有什么桃花源啊！《桃花源记》只不过是东晋文学家陶渊(yuān)明笔下的一个动人的故事。这个故事寄托了人们对美好社会的理想。

寄托：place (hope, etc.) on

❖ 读一读，再用"寄托"造句。

　　她把所有的希望都寄托在儿子身上。

 5　桃花源记

　　晋朝时有一个渔夫。一天，他划着船在溪流中行驶(shǐ)，一路上只顾看岸上的风景，竟迷失了方向，来到了一个陌生的地方。这里两岸长满了一排排桃树，树上开满了红艳艳的桃花，美丽极了。

渔夫：fisherman

行驶：(of a vehicle, ship, etc.) go; travel

迷失：lose one's way

红艳艳：brilliant red

　　渔夫非常惊奇，想看个究竟，于是就继续向前划去。等小船从两岸的桃林中钻出来时，就到了小溪的源头了。这时他发现前面有一座山，山上有一个山洞，洞里好像有些亮光。

❖ 这里的"究竟"和"你究竟是谁？"中的"究竟"意思一样吗？

亮光：light

　　渔夫把船靠在岸边，上岸向洞口走去。洞口很小，渔夫只好趴下身子往里爬。没爬几步，洞忽然渐渐变宽了，变亮了。他站起身来又往里走了几步，眼前突然出现了一个小村庄。

★ 那个渔夫是怎样找到桃花源的？

村庄：village

这里有平坦（tǎn）的土地，整齐的房子，成片的稻田、桑树和竹林，不时还传来一阵阵鸡和狗的叫声。人们穿的和山外的人差不多，不论老人和小孩子都乐呵呵的。

平坦：flat

❀区别"坦""但"，分别组词。

★桃花源是什么样子的？

村里人见来了一个陌生人，都好奇地围了上来，问他是怎么走进来的。渔夫把进洞的经过简单说了一遍，接着大家就邀请他到各家做客。山民们杀鸡备酒，热情地招待他。大家一边喝酒，一边聊天。一位老人告诉渔夫："秦朝的时候，我们的祖先为了躲避（bì）战争，逃到了这里。从那时起，就再也没有出去过，不知道现在外面是什么样子了。"渔夫听了惊奇地问："秦朝早灭亡了。秦朝以后，又经过了汉朝、魏朝，到现在的晋朝，已经有好几百年了。"他们听了都十分惊叹。山里人都争着邀请渔夫到家里做客，用好吃的招待他。

躲避：avoid

灭亡：overthrown; downfall

过了几天，渔夫想回家了。临别的时候，山里人嘱咐他，这里的事情千万不要告诉别人，渔夫点头答应了。但渔夫走出山洞以后，就背弃了自己的诺言。他坐上小船，沿路暗暗留下了许多记号。回到家后，他向当

临别：at parting

背弃：abandon; desert

诺言：promise

当地：local

16

地的太守详细说了桃花源的情况。太守立刻派人跟着他去寻找。但说来也怪，渔夫在路上做的记号竟全不见了。他怎么也找不到那个奇妙的洞口，找不到那个美丽安宁的小村庄了。

其实，世上哪有什么桃花源啊！《桃花源记》只不过是东晋文学家陶渊明笔下的一个动人的故事。这个故事寄托了人们对美好社会的理想。后来人们就用"世外桃源"这个词来指那些不受外界影响的或幻想中的美好世界。

（选自《中华人物故事全书》，有改动）

太守： prefect

安宁： peaceful; tranquil

★ 你觉得桃花源真的存在吗?

世外桃源： the Land of Peach Blossoms — a fictitious land of peace, away from the turmoil of the world; a heaven of peace

外界： external world

幻想： illusion; fantasy

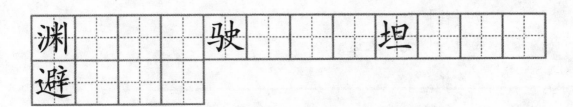

渊　　　　驶　　　坦

避

寄托　　渔夫　　行驶　　迷失　　亮光　　村庄

平坦　　躲避　　灭亡　　临别　　背弃　　诺言

当地　　太守　　安宁　　外界　　幻想

红艳艳　　世外桃源

饮　酒①

陶渊明

结庐②在人境，而无车马喧③。

问君何能尔④？心远地自偏⑤。

采菊东篱下，悠然见南山。

山气日夕⑥佳⑦，飞鸟相与还。

此中有真意，欲辨⑧已忘言。

———————

① 《饮酒》这组诗共二十首，这是第五首。
② [结庐] 建造房屋。
③ [喧(xuān)] 喧闹。
④ [尔] 这样。
⑤ [心远地自偏] 心远离世俗，住的地方自然显得僻静。
⑥ [日夕] 傍晚。
⑦ [佳] 好。
⑧ [辨] 说，表达。

在治水过程中，大禹曾三次路过家门口，可都顾不上回家看一眼。

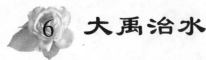 大禹治水

相传五千多年以前，中国曾多次发洪水。无情的洪水淹没[mò]了平原大地，淹死了庄稼和家畜，夺去了成千上万人的生命。

无情：merciless

淹没：submerge

当时尧是部落联盟首领。为了治服洪水，尧先派鲧(gǔn)担任治水的领导工作。鲧用的是"堵"的方法，虽然努力了九年，但一直没有太好的效果。

后来舜(shùn)当上了首领。他看到鲧治水失败，就决定换鲧的儿子大禹来负责治水。禹接受任务后，率领一批治水专家到各地考察和测量，慢慢地摸清了洪水的特点和规律。他们认真分析了鲧治水失败的原因，提出了与鲧完全不同的治水思路：主张用"导"的方法，导小河入大河，导大河入大海。

负责：be in charge of

❀用"负责"造句。

测量：survey; measure

分析：analyse

思路：idea; thinking

❀"导"在这里是什么意思？

★大禹的治水思路和鲧有什么不同？

治水的方法定下来以后，大禹告

别了结婚才四天的妻子，率领治水大军离开了家园。

在治水工地上，大禹身穿破旧的衣服，和伙伴们吃住在一起。他除了负责指挥外，一闲下来就和大家一起挖泥运土。日子一长，大禹也和大家一样，脚被水泡肿(zhǒng)了，脚指甲也泡烂了，可是他仍不怕艰苦，坚持治水。

在治水过程中，大禹曾三次路过家门口，可都顾不上回家看一眼。

第一次路过家门时，伙伴们对他说："你离开家时，和妻子结婚才四天。平时不能回家，现在都到家门口了，快回家看看吧！"难道大禹不想回家吗？多少个夜晚，他在心里一直思念着温柔的妻子，如今她就近在眼前，要是能见上一面该多好啊！但他又一想，不行，大水无情，工期耽误不得。他谢绝了伙伴们的好意，带领大家头也不回地向工地走去。

第二次路过家门时，大家又劝他说："你妻子去年给你生了个儿子，你这次该回家看看了吧。"可是大禹只是深情地望了家门几眼，指指天空说："现在满天乌云，就要下大雨了，

工地：building site

肿：swollen

指甲：nail

艰苦：trial; difficulties and hardships

★ 结合下文想一想，大禹为什么三次路过家门都不回家？

耽误：delay

谢绝：decline; politely refuse

好意：kindness; good intention

治水要紧，我们还是走吧！"

几年后，大禹和治水大军再次路过自己家门，大家一起劝道："你该回家看看了。"可是大禹只是在心里向妻子和孩子道了个歉(qiàn)，就又匆匆上路了。有人不理解地说："你不要家了？"大禹说："家是要回的，但现在不行，要等治服洪水以后。"

大禹"三过家门而不入"的精神极大地鼓舞了治水大军。大家齐心协(xié)力，克服了种种困难，终于使洪水全部流入了大海。

十三年过去了，等大禹回到家中时，他的儿子已长成了少年。人们永远不会忘记大禹的功劳。直到今天，许多地方还流传着大禹为了治水"三过家门而不入"的故事。

(选自《中华人物故事全书》，有改动)

要紧：important

道歉：apologize

✤ 区别"赚、谦、歉"，并用"道歉"造句。

鼓舞：inspire; encourage

齐心协力：make concerted efforts

克服：overcome

功劳：contribution; credit

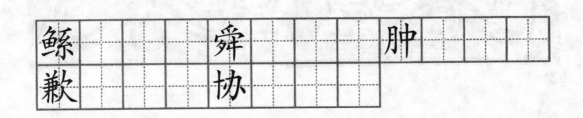

肿　　　　无情　　　　淹没　　　　负责　　　　测量　　　　分析
思路　　　　工地　　　　指甲　　　　艰苦　　　　耽误　　　　谢绝
好意　　　　要紧　　　　道歉　　　　鼓舞　　　　克服　　　　功劳
齐心协力

猜一猜

刀砍没有缝，
枪打没有洞。
斧子砍不烂，
没牙能咬动。

（打一自然现象）

杀一口猪是小事，教育孩子从小知道做人的道理，可是关系他一生的大事啊！

 7 言而有信的曾参[zēng shēn]

曾参是孔子最得意的学生之一。他不仅勤奋好学，而且品德高尚，人们都尊敬地称他为曾子。

曾参小时候，家中非常清贫，但他却把言而有信看做做人最基本的美德，对人说到做到，很受人们的称赞。

长大之后，曾参做了鲁国的小官。他仍然坚持言而有信的原则，一旦答应了别人的事，总是千方百计地办好。即使对自己不懂事的儿子曾申，也是这样。

一天，曾参的妻子要到集市上买东西，儿子追着她直哭，要跟着去集市。为了摆脱儿子的纠(jiū)缠，她便哄骗儿子说："好孩子，这次我要买的东西很多，不能带你，你在家好好玩，等你父亲回来，让他杀猪给你煮肉吃。"儿子一听母亲答应他杀猪吃肉，马上

言而有信：keep one's promise

勤奋：diligent
品德：moral character
高尚：noble; lofty
基本：basic; essential

一旦：in case; once
♣用"一旦"造句。
千方百计：by every possible way

摆脱：get rid of
纠缠：bother; pestering
哄骗：cheat; humbug

高兴地蹦了起来，不再闹着跟她去集市了。

不一会儿，曾参回来了。他见儿子正在玩一把菜刀，忙走过去一把夺下，责怪道："小孩子怎么好玩刀呢？"曾申见父亲回来了，兴奋地说："父亲，母亲让你回来杀猪呢！""杀猪，谁说的？""母亲亲口答应我的。""小孩子可不许撒谎(huǎng)！""谁撒谎？我从小受您的教育，从不敢撒谎骗人！"曾申极认真地说。曾参好奇怪，看儿子的口气不像在撒谎，可这个时候又不过年又不过节，杀什么猪啊？哦，对了，一定是妻子为了哄孩子随便说说，孩子却当成了真的。杀吧，猪还没长成，怪可惜的；不杀，怎么对孩子解释(shì)呢？谁知曾申见父亲不开口，就低声问道："父亲，母亲答应我杀猪，要是不杀，您说是不是言而无信呢？"曾参一听就笑了："好吧，既然你母亲答应了，说杀就杀。"曾申高兴得直拍手。曾参忙磨刀、烧水，父子俩忙得满头大汗。

等曾参的妻子从集市上回来，猪已经杀完了。她忙问："怎么把猪杀了？"曾参笑着说："不是你下的令

★ 曾参的妻子对儿子说的话是认真的吗？

亲口：(say or speak) personally

♣ 读一读：

亲口 亲手 亲眼 亲耳 亲自

撒谎：tell a lie

口气：tone; manner of speaking

解释：explain

★ 曾参知道妻子是在哄骗儿子，为什么还要坚持把猪杀掉？你对这件事怎么看？

吗？你答应儿子杀猪，我才杀的呀！""哎，我缠不过孩子，不过随便说说，你就当真把猪杀了！"曾参收住笑说："你既然答应孩子了，就应该说到做到。对孩子，更不能哄骗，因为孩子不懂事，一切都跟着父母学。今天你哄骗了孩子，在孩子面前言而无信，明天孩子就会以你为榜(bǎng)样，去哄骗别人。杀一口猪是小事，教育孩子从小知道做人的道理，可是关系他一生的大事啊！"

　　曾参的妻子听到这里，理解了丈夫杀猪的用心，便高高兴兴地去烧水煮肉，实现了自己对孩子的许诺。

（选自《中华人物故事全书》，有改动）

当真：take seriously

榜样：example; model

许诺：promise

纠				谎			释			
榜										

勤奋　　品德　　高尚　　基本　　一旦　　摆脱
纠缠　　哄骗　　亲口　　撒谎　　口气　　解释
当真　　榜样　　许诺　　言而有信　　千方百计

读一读

子曰："言必信，行必果。"（Confucius said："Being trustworthy in speech and being decisive in action."）意思是："说话必定有信用，做事必定要果断。"

竹简太重了，丝绸又太贵了，要是能找到一种又轻便[biàn]又便宜的东西来写字就好了。可是用什么呢？

竹简：bamboo slip used for writting on

轻便：light; portable

❖ "轻便"和"便宜"中的"便"分别读什么音？

8 蔡伦(cài lún)造纸

　　蔡伦生在东汉时期，当时人们大都把字写在竹简上，又重又不方便。据说有人给皇帝写了一封信，一共用了三千片竹简，几个壮小伙子都抬不动，皇帝花了两个月的时间才看完。有钱的人家把字写在丝绸上，这样虽然比较轻便，但丝绸太贵了，很少有人用得起。

★在蔡伦造纸以前，人们把字写在什么上边？

　　蔡伦小时候为了读书吃了不少苦，因为像他这样的孩子是用不起丝绸的，每天只能抱着一捆捆沉重的竹简，一片一片地读。一天，蔡伦放下手中沉甸甸的竹简，揉了揉又酸又痛的胳膊，心想："竹简太重了，丝绸又太贵了，要是能找到一种又轻便又便宜的东西来写字就好了。可是用什么呢？"当时蔡伦还是个孩子，没有条件做造纸实验，可造纸的想法却从此

❖ 读一读：

沉甸甸　轻飘飘　绿油油

白花花　冷冰冰　热乎乎

笑嘻嘻　乐呵呵

印在他的心里了。

　　蔡伦长大后在皇帝身边做事，心里一直想着造纸这件事。后来他找了一个合适的机会，小心翼翼地向皇帝提出了自己的想法，没想到皇帝爽快地答应了。蔡伦高兴极了，立即找来了一些工匠，大声宣布："现在我们要造纸，你们快去找些麻布和一个大石臼（jiù）来！"工匠们都觉得很奇怪，粗糙（cāo）的麻布怎么能用来造纸呢？

　　蔡伦让他们把找来的麻布都洗干净，用斧子砍碎，再用草木灰蒸煮，经清水洗净后放进大石臼里捣了起来。石臼里的烂麻渐渐变成了浓浓的液体。蔡伦叫人把这些液体倒进一个大水缸里，加上水，搅（jiǎo）匀以后，再把一块绷（bēng）上细麻布的木头架子浸在里面，轻轻荡了几下，一下子提出来，上面就留下了一层细细的纸浆（jiāng）。纸浆在阳光下慢慢干了，蔡伦两手颤抖着，轻轻一揭，啊！一张纸下来了。

　　蔡伦拿来笔墨，试着在纸上写字。字虽然写上去了，但纸的表面太粗糙了，墨迹不均匀。"找块鹅卵（luǎn）石来压磨一下，看行不行。"一位工匠

麻布：gunny cloth

石臼：stone mortar

粗糙：coarse; rough

草木灰：plant ash

捣：beat with a pestle; pound

搅：stir; mix

绷：stretch tight

纸浆：paper pulp

颤抖：shiver; tremble

★你能简单说说蔡伦造纸的过程吗？

墨迹：ink marks

鹅卵石：cobblestone

❖区别"卵、柳"，分别组词。

出主意说。果然，在纸半干的时候，用鹅卵石来回压磨，纸就光滑好用多了。就这样，克服了不少困难，蔡伦和工匠们造出了第一批纸。

后来，蔡伦带领着工匠们反复实验，不断改进，造出的纸越来越好。蔡伦造的纸，轻便、好用、便宜，大家都争着用。

改进：improve; better

蔡伦的造纸技术流传得越来越广，大批的纸被生产出来供人们写字画画，极大地促(cù)进了人类社会的进步和文化的发展。

促进：promote; accelerate

（选自《中华人物故事全书》，有改动）

臼				糙				搅			
绷				浆				卵			
促											

臼　　　搅　　　绷　　　竹简　　轻便　　麻布
石臼　　粗糙　　纸浆　　颤抖　　墨迹　　改进
促进　　草木灰　　鹅卵石

记一记

中国古代四大发明

造纸术（paper making）印刷术 （printing）

指南针（compass）　　火药（gunpowder）

中国古典四大名著

《三国演义》　《水浒(hǔ)传》

《西游记》　《红楼梦》

佛印哈哈大笑说:"既然鱼放在上面不行,那就快把鱼拿下来吧。"

 ## 9 东坡和佛印

苏东坡不仅是宋朝的大文学家,还是一位美食家。

相传有一次,他想让家里的厨师做条鱼解解馋。不一会儿,鱼做好了。看着热腾腾、香喷喷的鱼,苏东坡食欲大开。他刚要拿起筷子品尝,忽然看见窗外闪过一个身影,原来是好友佛印和尚来了。

东坡心想:"好你个和尚,来得真是时候!我偏不让你吃,看你怎么办!"于是顺手将这盘鱼搁到了书架上。佛印和尚其实在门外早已看见了,心想:"你藏得再好,我也要叫你拿出来,今天这鱼我非吃不可。"

东坡笑嘻嘻地招呼佛印坐下,问:"大和尚天天都呆在寺(sì)院里,今天怎么有时间到我这儿来了?"佛印答道:"小弟今天特地来请教一个字?""什么字?""姓苏的'苏'怎

美食家: gourmet

厨师: cook; chef

解馋: satisfy a craving for delicious food

香喷喷: savoury

食欲: appetite

❦ 读一读,然后用"偏"造句。

　　他不让我跟他一起去,我偏要去。

　　大家都同意了,他偏要反对。

顺手: conveniently; immediately

寺院: temple

❦ 比较"寺、特、持",分别组词。

特地: specially

么写？"苏东坡知道佛印学问好，这里面一定有名堂，便装着认真地回答："'苏'（蘇）字上面是个草字头，下面左边是'鱼'，右边是'禾'字。"佛印又问："如果草字头下面左边是'禾'右边是'鱼'呢？""那也还念'苏'（蘇）啊。""那么要是鱼搁在上边呢？"苏东坡急忙说："那可不行。"佛印哈哈大笑说："既然鱼放在上面不行，那就快把鱼拿下来吧。"苏东坡这才恍然大悟，原来佛印已经看见了那盘鱼。于是他就高高兴兴地把鱼从书架上拿下来，和佛印一起分享。

后来有一次，佛印听说苏东坡要来，就照样蒸了一盘鱼，心想：上次你开我玩笑，今天我也难难你。于是他把鱼扣在磬(qìng)里，然后急忙出门迎接客人。苏东坡进屋后，不时闻到阵阵鱼香。他看了看桌上的磬，心中便有数了。因为磬是一种打击乐器，平时都是口朝上，今天倒扣着，这其中一定大有名堂。

他有意和老和尚开玩笑，就装出一本正经的样子说："有件事得向您请教：我想写副对联，谁知写好了上联，下联一时想不出好句子。"佛印

名堂：trick; reason

★佛印是用什么方法巧妙地吃到鱼的？

★"鱼放在上面不行"字面上说的是什么意思？实际上又是什么意思？

磬：inverted bell(a Buddhist percussion instrument)

❦"心中便有数了"是什么意思？

乐器：musical instrument

上联：the first line of a couplet

下联：the second line of a couplet

32

问："不知上联是什么？"苏东坡回答说："上联是'向阳门第春常在'。"佛印不知道苏东坡葫芦里卖的是什么药，几乎不假思索地说："下联是'积善人家庆有余'。"苏东坡听完，假装惊叹道："高明，高明！原来你磬（庆）里有鱼（余）呀！快拿出来一同分享吧。"佛印这才恍然大悟，知道上了苏东坡的当。他笑着说："这条鱼算给你'钓'到了，看来你今天又可以大饱口福了！"

门第：house

❀ 猜一猜"不知道葫芦里卖的是什么药"的意思。

★ 苏东坡是怎样饱了口福的？

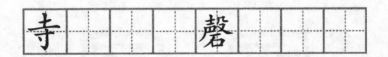

寺　　　　　　　　磬

磬　　　厨师　　　解馋　　　食欲　　　顺手　　　寺院

特地　　　名堂　　　乐器　　　上联　　　下联　　　门第

美食家　　　香喷喷

题西林①壁

苏 轼(shì)

横看成岭侧成峰，

远近高低各不同。

不识庐山真面目，

只缘②身在此山中。

---

① [西林] 江西庐山寺名。这是苏轼
写在寺院墙壁上的一首诗。

② [缘] 因为。

直到华佗手持利刀，将关羽的臂(bì)骨刮得"嚓嚓"直响，关羽仍然悠闲地说笑下棋，根本没有一点儿害怕的神色和痛苦的表情。

臂：arm

 ## 10 关羽刮骨疗(liáo)毒

疗：treat; cure

✿ 区别"疗、疚"，分别组词，想想还有哪些带"疒"旁的字。

三国时期，关羽带领军队攻打曹操，在战斗中被箭射中右臂，从马上摔了下来。将士们急忙把关羽救回军营中。他们拔出箭一看，原来是支毒箭！不一会儿，关羽的右臂变得又青又肿。大家见关羽伤势严重，急忙到处寻找医术高明的大夫。

右臂：the right arm
将士：officers and soldiers
军营：barracks

伤势：the condition of an injury

正在危急之时，忽然有一个人坐小船来到了军营。他说自己是华佗，平时很敬重关羽将军，现在听说他中了毒箭，所以特地赶来为他治疗。大家一听来的是神医华佗，真是喜出望外，连忙带他来见关羽。

敬重：respect
治疗：treat; cure
喜出望外：be overjoyed; be
　　　　　pleasantly surprised

这时，关羽正在下棋。华佗仔细检查了他的伤势后说："将军被毒箭所伤，现在箭毒已经透入骨头，如果不早早治疗，只怕这只胳膊难以保住。”“先生用什么方法治疗？”关羽忙问。“我倒是有个办法，只是担心将军害怕。”关羽一听大笑起来：“我一生打过无数次仗，死都不当回事，哪有害怕的道理？请先生只管治疗。”

华佗见关羽果然有英雄气概，忙说：“既然将军不怕，就请在安静的地方立一根柱子，柱子上钉上一个铁环，我要把您的胳膊穿在环中，用绳捆住，用布蒙上您的头，然后用锋利的刀划开皮肉，露出骨头，刮去上面的箭毒，最后涂上药，缝上口，等它慢慢愈(yù)合。整个过程会令人疼痛难忍，只怕将军受不了这个苦。”

关羽听后，哈哈大笑说：“这是小手术，哪里还用立柱子、绑铁环，先生只管刮骨，不必担心。”

于是，关羽一边继续下棋，一边伸出右臂，让华佗割肉刮骨。华佗拿出一把锋利的刀，对关羽说：“我要开始了，请将军忍耐一下。”

华佗用刀割开皮肉，关羽谈笑风生；露出白白的骨头，关羽依旧从容镇(zhèn)定；直到华佗手持利刀，将关羽的臂骨刮得“嚓嚓”直响，关羽仍然悠闲地说笑下棋，根本没有一点儿

♣ “死都不当回事”是什么意思？

只管：simply; just

英雄：hero

气概：spirit; lofty quality

铁环：iron hoop

★ 华佗为什么要用布蒙上关羽的头？

愈合：heal

谈笑风生：talk and laugh cheerfully

镇定：composed; calm

害怕的神色和痛苦的表情。旁边的将士都大气不敢喘一口，有的人甚至捂(wǔ)上眼睛，不敢再看下去。

不大一会儿，华佗刮完了骨上的箭毒，涂上药物，用线缝住了伤口，对关羽说："将军，治疗完了！"

关羽这时大笑着站起来，对华佗说道："才一会儿的功夫，这右臂已经可以自由活动了，先生真是神医啊！"

华佗无限感慨地说："我当了这么多年医生，治好过成千上万个病人，但从未见过像将军这样勇敢的人。"

（选自《中华传统美德故事精粹》，有改动）

捂: cover; seal

★手术中关羽的表现怎样？

伤口: cut; wound

★华佗为什么感慨？你怎么看关羽的"勇敢"？

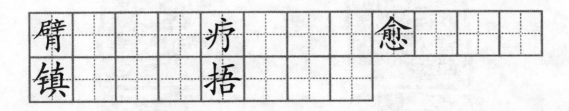

臂　　　　疗　　　愈
镇　　　　捂

臂　　疗　　捂　　右臂　　将士　　军营
伤势　　敬重　　治疗　　只管　　英雄　　气概
铁环　　愈合　　镇定　　伤口　　喜出望外
谈笑风生

屈原医生

在历史课上，老师问一个学生：

"屈原是什么人？"

"是医生。"学生回答。

"错了！"

"怎么错了呢？书上明明说他是大夫嘛！"

我悄悄走进病房，把一大把茉莉（mòlì）花插进花瓶，一股清香弥（mí）漫开来。

病房：ward

茉莉花：jasmine flower

清香：delicate fragrance

弥漫：suffuse；fill the air

 ## 11 爱如茉莉

那是一个美丽的黄昏，我从一本爱情小说中抬起眼睛，对旁边正在给花浇水的母亲说："妈妈，你爱爸爸吗？"

黄昏：dusk

妈妈先是一愣，接着微红了脸："看你这孩子，问些什么莫名其妙的问题！"

♣ 用"先是……接着……"造句。

我见妈妈有些不好意思，就又问了一个问题："妈妈，你说真爱像什么？"

妈妈想了一会儿，随手指着那棵茉莉花说："就像茉莉吧。"

随手：conveniently；without extra
trouble

我差点儿笑出声来，但一看到妈妈一本正经的样子，就赶忙把"这也叫爱"咽了回去。不久以后的一个晚上，妈妈突然得急病住进了医院。当时，爸爸正在外地出差，回到家后连饭也没吃，就去了医院。此后，他每

★ 我为什么"差点儿笑出声来"？

急病：acute disease

出差：be on a business trip

天都去医院。

一个清新的早晨，我按照爸爸特别的叮（dīng）嘱，剪了一大把茉莉花送到医院去。当我推开病房的门时，不禁被眼前的情景惊住了：妈妈睡在床上，脸上带着淡淡的微笑；爸爸坐在床前的椅子上，一只手紧握着妈妈的手，头伏在床边睡着了。阳光从窗外照进来，照在他们身上，美极了。

也许是我惊醒了爸爸，他慢慢抬起头，轻轻放下妈妈的手，然后轻手轻脚地走到门边，把我拉了出去。

看着爸爸憔悴（qiáo cuì）的脸和红红的眼睛，我不禁心疼地问："爸爸，你怎么不在陪床上睡？"

爸爸一边打哈欠一边说："我夜里睡得死，你妈妈有事又不肯叫醒我。这样睡，她一动我就惊醒了。"

爸爸去买早点，我悄悄走进病房，把一大把茉莉花插进花瓶，一股清香弥漫开来。

"樱儿，来帮我揉揉胳膊和腿。"

"妈妈，你怎么啦？"我很奇怪。

"你爸爸伏在床边睡着了。我怕惊醒他不敢动，不知不觉，手脚都麻木了。"

叮嘱：urge again and again

✿写出与"叮嘱"意思相近的词。

轻手轻脚：gently; softly

憔悴：wan and sallow
心疼：painful; distressed
陪床：bed for an impatient's family member

早点：(light) breakfast

麻木：numb

这么简单的一句话，却使我静静地流下泪来。

啊，爱如茉莉……

★ "我"为什么流泪？

★ 你怎样理解"爱如茉莉"？

（本文作者映子，有改动）

| 茉 | | | | 莉 | | | | 弥 | | |
| 叮 | | | | 憔 | | | | 悴 | | |

病房　　清香　　弥漫　　黄昏　　随手　　急病
出差　　叮嘱　　憔悴　　心疼　　陪床　　早点
麻木　　茉莉花　　轻手轻脚

想一想

"手"和"脚"

汉语里有许多像"轻手轻脚"这样包含"手"和"脚"的词语。如：笨手笨脚，毛手毛脚，畏（wèi）手畏脚等。你知道这些词语的意思吗？

原来世间所有的母亲都是这样容易受骗和容易满足的啊!

12　生日卡片

　　刚到台北上学的那一年，我好想家，好想妈妈。

　　虽然，母亲平时并不太和我说话，也不会对我有些什么特别亲密的动作，虽然，我一直认为她并不怎么喜欢我，平时也常会故意惹(rě)她生气；可是，一个十四岁的初次离家的孩子，晚上躲在宿舍被窝里流泪的时候，呼唤的仍然是自己的母亲。

　　所以，那年秋天，母亲过生日的时候，我特别花了很多心思做了一张大卡片送给她。在卡片上，我写了很多，也画了很多。我说母亲是伞，是豆荚(jiá)，我们是伞下的孩子，是荚里的豆子；我说我怎么想她，怎么爱她，怎么需要她。

　　卡片送出去了以后，自己也忘了，每次回家仍然和她顶嘴，惹她生气。

世间：this world

受骗：deceived

卡片：card

亲密：close; intimate

惹：provoke

被窝：a quilt folded to form a sleeping bag

豆荚：pod

★ "我" 拿什么比喻母亲?

顶嘴：answer back; reply defiantly

好多年过去了，等到自已有了孩子以后，才算真正明白了母亲的心，才开始由衷（zhōng）地对母亲恭敬起来。

十几年来，父亲一直在国外教书，母亲在家里等着妹妹和弟弟读完大学。终于，连弟弟也当完兵又出国读书去了，母亲才决定到德国去看望父亲并且停留下来。出国以前，她交给我一个黑箱子，告诉我，里面装的是整个家族的重要资料，要我好好保管。

黑箱子就一直放在我的房间里，从来都没想去碰过，直到有一天，为了找一份旧的资料，我才把它打开。

我的天！真的是整个家族的资料都在里面了。有祖父母的手迹，父亲的演讲记录，父母结婚时的照片：所有的纸张都已经发黄了。

然后，我就看到我那张大卡片了。一张用普通的图画纸折成的卡片，却被我母亲仔细地收藏起来了，收在她最珍贵的箱子里，收了那么多年！

卡片上写着我早已忘记的甜言蜜语，可是就算是这样的甜言蜜语也不

❖ 用"等到……"造句。

由衷: from the bottom of one's heart

★ 母亲在什么情况下才出国陪父亲?

家族: clan; family
资料: data; material
保管: take care of

手迹: original handwriting or painting
演讲: lecture

收藏: collect; store up

甜言蜜语: honeyed words and phrases

是常有的。忽然发现,这么多年来,我好像也只画过这样一张卡片。长大了以后,常常只会去选一张印刷好了的甚至带点香味的卡片,在异国的街角,匆匆忙忙地写下自己的名字,匆匆忙忙地寄出,有时候,当母亲收到卡片时,她的生日都已经过了好几天了。

这么多年来,我只会不断地向她要求更多的爱,更多的关怀,不断地向她要求更多的证据。而我呢?我不过只是在十四岁那一年,给了她一张写着甜言蜜语的卡片而已。她却因此而相信了我,并且把它细心地收藏起来。

在那一刹(chà)那里,我才发现,原来世间所有的母亲都是这样容易受骗和容易满足的啊!

（本文作者席慕蓉,有改动）

印刷: print
异国: foreign country

★你知道这里的"异"的意思吗?用"异"这个意思你还能组成什么词语?

关怀: concern; solicitude

一刹那: in an instant

★为什么说母亲都是"容易受骗和容易满足的"?

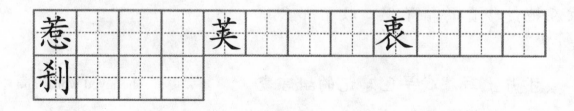

惹　　　世间　　　受骗　　　卡片　　　亲密　　　被窝
豆荚　　　顶嘴　　　由衷　　　家族　　　资料　　　保管
手迹　　　演讲　　　收藏　　　印刷　　　异国　　　关怀
一刹那　　　甜言蜜语

叫爷爷送礼

小约翰（hàn）大声祷（dǎo）告（pray）："上帝啊，我生日那天让他们送我一大盒巧克力吧！"

妈妈说："你嚷什么呀，小点儿声，上帝也听得见。"

小约翰说："我知道，可是在隔壁的爷爷听不见呀。"

我懂得母亲没有说完的话。妹妹也懂。我俩在一块儿，要好好儿活……

13 秋天的怀念

双腿瘫痪（tān huàn）以后，我的脾（pí）气变得非常暴躁（zào）。望着天上北归的大雁，我会突然把面前的玻璃砸碎；听着甜美的歌声，我会猛地把手边的东西摔到地上。母亲这时就悄悄地躲出去，在我看不见的地方偷偷地听着我的动静。当一切恢复沉寂，她又悄悄地进来，眼圈红红的，看着我。"听说北海的花儿都开了，我推着你去走走。"她总是这么说。母亲喜欢花，可自从我瘫痪以后，她养的那些花都死了。"不，我不去！"我狠狠地捶（chuí）打着两条可恨的腿，喊着："我活着有什么劲！"母亲扑过来抓住我的手，忍住哭声说："咱娘儿俩在一块儿，好好儿活……"

可我一直都不知道，母亲的病已经很严重了。后来妹妹告诉我，母亲

怀念：yearn; think of

瘫痪：be paralysed

脾气：temper

暴躁：irascible; irritable

沉寂：quiet; silent

★当"我"发脾气时，母亲是怎样做的？

捶打：beat

❀区别"捶""睡"，然后组词。

常常肝疼得整夜整夜翻来覆去地睡不了觉。

那天我又独自坐在屋里，看着窗外的树叶飘落。母亲进来了，挡在窗前："北海的菊花开了，我推着你去看看吧。"她憔悴的脸上现出央求般的神色。"什么时候？""你要是愿意，就明天？"她说。我的回答已经让她喜出望外了。"好吧，就明天。"我说。她高兴得一会儿坐下，一会儿站起。"那就赶紧准备准备。""哎呀，烦不烦？几步路，有什么好准备的！"她也笑了，坐在我身边，絮絮叨（dāo）叨地说着："还记得那回我带你去北海吗？你偏说那杨树花是毛毛虫，跑着一脚踩扁一个……"她忽然不说了。对于"跑"和"踩"一类的字眼儿，她比我还敏（mǐn）感。她又悄悄地出去了。

她出去了，就再也没回来。

邻居们把她抬上车时，她还在大口大口地吐着鲜血。我没想到她已经病成那样。看着三轮车远去，也绝没有想到竟是永远永远的诀别。

邻居的小伙子背着我去看她的时候，她正艰难地呼吸着。别人告诉我，

★ 母亲为什么"挡在窗前"？

♣ 用"一会儿……一会儿……"造句。

絮絮叨叨：talk endlessly; long-winded

毛毛虫：caterpillar

敏感：sensitive; susceptible

★ 母亲为什么比"我"还敏感？

诀别：bid farewell

艰难：hard; difficultly

她昏迷前的最后一句话是："我那个有病的儿子和我那个还没有成年的女儿……"

又是秋天，妹妹推我去北海看了菊花。那黄色的花淡雅，白色的花高洁，紫红色的花热烈而深沉，在秋风中正开得烂漫。我懂得母亲没有说完的话。妹妹也懂。我俩在一块儿，要好好儿活……

（本文作者史铁生，有改动）

昏迷: be in a coma

成年: grow up; come of age

高洁: be noble and unsullied

深沉: deep; reserved

烂漫: brilliant

瘫				痪				脾			
躁				捶				叨			
敏											

怀念　　瘫痪　　脾气　　暴躁　　沉寂　　捶打
敏感　　诀别　　艰难　　昏迷　　成年　　高洁
深沉　　烂漫　　毛毛虫　　絮絮叨叨

小花的信念

顾 城

在山石组成的路上
浮起一片小花

它们用金黄的微笑
来回报(repay)石头的冷遇(cold shoulder)

它们相信
最后，石头也会发芽
也会粗糙地微笑
在阳光和树影间
露出善良的牙齿

妈妈多好，在很远很远的地方
还惦（diàn）记着我。

惦记：be concerned about

 ## 14　母亲的池塘

　　我刚出生不久，母亲就去世了。
村里人说，她是我们村里最好的媳
妇，就葬在村东的高地吧。爸爸说要
火化，把骨灰撒在门前的池塘里。

　　池塘不大，原是一段水渠。时间
长了，泥沙淤（yū）积起来，堵住出口，
竟成了一口池塘。母亲嫁到东城后，
说：“池塘太荒了，种点儿藕（ǒu）吧。”

　　一到夏季，荷花点缀在万绿丛
中，映着塘边洗衣的母亲和一群小媳
妇们，非常鲜艳、美丽。镇上读书的
表哥回忆说，咱村就这里还算是一道
风景。

　　池塘自然是我童年的乐园。一到
夏季，奶奶嫌我在一旁烦人，就说：
“去，去，到塘里玩水去，你妈就住在
那儿，她可想你呢。”

　　脱了小背心、花短裤、赤条条扑
进暖暖的水里。玩泥巴、摘莲蓬，掏

去世：die; pass away

火化：cremate
骨灰：bone ash
水渠：canal
淤积：accumulate
藕：lotus root

★ 这里的“风景”指什么?

背心：vest; waistcoat
赤条条：be stark-naked
莲蓬：lotus seed pod

白藕……池塘那么丰富，仿佛有取不尽的财富，又那么博大和深沉，任我在她的怀抱里玩耍。

正闹得欢时，一条滑溜溜的大鱼钻进我的怀里，足有一个小胖娃娃那么大。它竟一动不动，静静地看着我，我惊呆了，望着它不知所措。这是一顿多么丰盛的晚餐！我突然抱紧它跃出水面，急忙奔回家，交给奶奶。

奶奶把它煮了，满满一锅的鱼汤，白白的，乳汁一样，那么浓，那么香。我吵着要吃。奶奶说："孩子，我们不吃，全给你吃，你知道不，这是你妈给你送奶来了。"说完背过身去，抹了好一阵泪水，说："缺奶的孩子，今天总算补齐了，这一辈子就好了。"

我不懂奶奶的话。但我知道，这是到另一个世界去的妈妈给我的礼物。我十分兴奋。妈妈多好，在很远很远的地方还惦记着我。我跑出去，又泡到池塘里。轻轻地划水，细细地往塘中最悠远和神秘的地方看，扯起耳朵听一切细小的声音。我盼望着，又有什么惊奇的事情降临。说不定妈妈会亲自回来，送我更大的一条鱼。

仿佛：as if

❖"仿佛"可以用什么词语替换？

博大：broad; wide

滑溜溜：slick; smooth

不知所措：be at a loss as to what to do

丰盛：sumptuous; rich

乳汁：milk

★ 奶奶说鱼汤是什么？为什么这样说？

一辈子：all one's life

悠远：far away

降临：happen

❖用"说不定"和"不一定"造句。

妈妈真是世界上最好的人，我虽然看不见她，叫不应她，可奶奶说，她在远远地看着我呢！

★ 妈妈真的"在远远地看着我"吗？

（本文作者车间，有改动）

惦　　　　淤　　　　藕

藕　　　惦记　　　去世　　　火化　　　骨灰　　　水渠
淤积　　　背心　　　莲蓬　　　仿佛　　　博大　　　丰盛
乳汁　　　悠远　　　降临　　　赤条条　　　滑溜溜
一辈子　　　不知所措

背一背

观书有感

朱熹

半亩方塘一鉴开^①，

天光云影共徘徊。

问渠^②那得清如许^③？

为有源头活水来。

———————————

① [半亩方塘一鉴开] 小小的池塘像镜子一样展现在眼前。
② [渠(qú)] 它，指池塘。
③ [如许] 如此，这样。

会照顾人的人一定是很温柔的，所以，我选了小白兔，白白软软的，你喜欢吗？

 15 女儿的礼物

暑假期间，一位过去的好朋友由英国回来。我们约在一家咖啡（kā fēi）屋中见面。

咖啡：coffee

女儿问我要和什么人见面，我说：

"是妈妈过去的同事。妈妈那时候同她感情最好，她很照顾妈妈。"

女儿接着问：

"大人也还要人家来照顾吗？她怎么照顾你？是不是像王和军照顾我一样，教你做功课？"

★女儿怎样理解妈妈说的"照顾"？

王和军是她的同班同学。我听了不由得笑着说：

"大概差不多吧！人再大，也需要别人照顾呀！像爷爷生病了，也要我们照顾嘛！对不对？"

♣用"再……也……"造句。

"那你生病了吗？那时候。"

"生病倒没有。不过，那年有段时

间，妈妈的心情很不好，觉得自己不讨人喜欢。就在那年圣诞节前几天，王阿姨偷偷地在我的桌上放了一张她自己做的贺卡，上面写着：'我不知道怎样形容我有多么喜欢你，祝你圣诞节愉快。'妈妈看了好感动。这张卡片改变了当时妈妈恶劣（liè）的心情。更重要的是，给了我很大的鼓励。"

女儿听了，若有所思，低头不语。

我和朋友见了面，开心地谈着往事，女儿在一旁安静地听着，我们几乎忘了她的存在。

一会儿，女儿要求到三楼文具部去看看。十分钟后，女儿上楼来，悄悄地对我说：

"先借给我一百元好吗？我想买一个东西，回去再还你。"

没过多久，她又上来了。面对朋友，恭敬地一本正经地说：

"王阿姨！送你一个小礼物，你从那么远的地方回来。"

朋友和我同时大吃了一惊，朋友不知所措，讷（nè）讷地说：

"那怎么行！我怎么能收你送的礼物？……"

女儿很认真地说：

圣诞节：Christmas

贺卡：greeting card

恶劣：bad; abominable

若有所思：thoughtful

♣用"几乎"造句。

文具：stationery

讷讷：slow of speech; faltering in speech

★朋友为什么不知所措？

54

"我妈妈说，你是她最好的朋友，谢谢你以前那么照顾我妈妈。"

我的眼睛湿热起来，朋友的眼睛也红了，嘴唇微颤，却是一句话也说不出来，只是紧紧地搂过女儿，嘴中喃（nán）喃地说道：

喃喃：murmur

"谢谢你！谢谢……"

这回轮到女儿觉得不好意思了。她对朋友说：

★ 女儿为什么不好意思了？

"你想不想看看你得到了什么礼物啊？"

朋友拆开礼物，是挂了个毛茸茸小白兔的钥匙（yào shi）链。女儿说：

钥匙链：key- chain

"会照顾人的人一定是很温柔的，所以，我选了小白兔，白白软软的，你喜欢吗？"

朋友感动地说：

"当然喜欢了，好可爱的礼物。我回英国去，就把所有的钥匙都挂上，每当我打开一扇门，就想一次你。……真谢谢啊！"

女儿高兴地下楼去了，留下两个女人在飘着咖啡香的屋里，享受着比咖啡还要香醇（chún）的情谊。

香醇：pure and aromatic

情谊：friendly feelings

（本文作者廖(liào)玉蕙(huì)，有改动）

咖				啡			劣				
讷				喃			钥				
匙				醇							

咖啡　　贺卡　　恶劣　　文具　　讷讷　　喃喃

香醇　　情谊　　圣诞节　　钥匙链　　若有所思

猜一猜

红的眼睛白的毛，

长长耳朵短尾巴，

身披一件白皮袄（ǎo，leather jacket），

走起路来轻轻跳。

（打一动物）

那是父亲的眼睛，我怎么会猜不出呢？

16 父亲的谜语

小时候，父亲最爱教我猜谜语。

父亲有很多谜语。夏天的晚上，坐在院子里，父亲那细眯眯的眼睛笑着看着我，悠悠地念着他的谜语。我眨（zhǎ）着眼睛，对着那满天的星星苦苦地寻找，谜底藏在哪里呢？

细眯眯：narrow (one's eyes)

眨：blink; wink

谜底：answer to a riddle

渐渐地，父亲的谜语很少能够难倒我了。只有一条谜语我猜不出。

"晚上关箱子，早上开箱子，箱子里有面镜子，镜子里有个细妹子。"

细妹子：a young girl

我想了半天想不出，问父亲："怎么镜子里有个细妹子呢？"

父亲笑着说："你再听呀——"他把眼睛合上："晚上关箱子，"又把眼睛睁开："早上开箱子，"父亲把眼睛凑近我："箱子里有面镜子，你仔细看看，镜子里是不是有个细妹子？"

我叫起来："是眼睛，是眼睛。"

父亲说："对。这是爸爸的眼睛。"

我问："那我的眼睛又该怎么说呢？"

"晚上关箱子，早上开箱子，箱子里有面镜子，镜子里面有——"父亲摸摸白了的头发，说："有个老头子。"

老头子：old man

每当我不高兴时，父亲便念起"关箱子、开箱子"，然后问我："镜子里面有个什么呢？"我不做声，他便猜："巧克力？大苹果？洋娃娃？花裙(qún)子？有小鹿的铅笔刀？……"我小小的心总会被其中某样东西引得高兴起来。父亲将它们"变"出来时，我问他："你怎么就猜得出我镜子里面是什么呢？"父亲的眼睛神神秘秘，仿佛可以给我变出许许多多让我快乐的东西。

裙子：skirt

可后来有一次父亲猜不出了。因为我长大了，心里有扇小门儿悄悄地开了。一个影子从眼睛投到了心里，抹也抹不掉，可影子"他"却什么也不知道。我觉得委屈得不行，眼泪落下来。父亲过来拍拍我的头，问我："怎么啦？"我嚷道："我要死啦！"父亲笑起来，说："你小小年纪就说要死，爸爸这么老了，还想活一百岁呢。一定是有一件东西你很喜欢，又不肯

★结合下文想一想，这是一张什么样的"小门儿"？

★"我"为什么觉得委屈？

跟爸爸说，对不对？好，我来猜一猜。"

父亲数了好多东西，自然都不是我所要的。我感到和父亲一下子遥远起来，原来父亲的力量也是有限的。我对父亲说："你猜不中的，也变不出来，这回得靠我自己。"父亲细眯眯的眼睛一下子变得那样忧郁（yù）。

有一天，我告诉父亲我要离开家，跟着那个人到很远的地方去。父亲静静地听我说，半天才开口："我知道有一天你要走的，女大不中留啊。"临走的时候，他又说："要是他待你不好，你就回家来。"

可是他待我很好，我给父亲写信，也总是说我很快乐很快乐。有一次记起父亲的生日，便写信问父亲需要什么，信投出后，我忽然想父亲会要什么呢？

父亲来信了，我急急忙忙地拆开，只有四行字：

"晚上关箱子，

早上开箱子，

箱子里有面镜子，

镜子里有个细妹子。"

有限：limited

忧郁：melancholy; heavyhearted

★父亲为什么"忧郁"起来？

❖用"便"造句。

那是父亲的眼睛，我怎么会猜不出呢？

★ 父亲想要什么呢？

（本文作者刘蕊(ruǐ)，有改动）

眨				裙			郁			

眨　　谜底　　裙子　　有限　　忧郁　　细眯眯
细妹子　　老头子

猜一猜

两座房子两头尖，
它能装人万万千；
要问房子有多大，
一粒沙子装不下。

（打一人体器官）

父亲不懂得怎样表达爱，使我们一家人和睦相处的是我妈。

相处: live together; get along with

 17 父亲的爱

父亲不懂得怎样表达爱，使我们一家人和睦相处的是我妈。父亲只是每天上班下班，而妈则把我们做过的错事列出清单，然后由父亲来责骂我们。

错事: fault
清单: detailed list

有一次我偷了一块糖，父亲要我把它送回去，告诉卖糖的说是我偷来的，说我愿意替他干活作为赔偿（cháng）。而妈却明白我只是个孩子。

赔偿: indemnify; compensation
★ "而妈却明白我只是个孩子"，这句话的意思是什么?

我在玩的时候摔断了腿，在去医院的路上，妈一直抱着我，为的是不让我感觉太疼。父亲把汽车停在急诊（zhěn）室门口，门卫叫他走开，说那个地方是留给紧急车辆的。父亲听了便嚷道："你以为我这是什么车? 旅游车?"

急诊室: emergency room
门卫: entrance guard
紧急: urgent

在我的生日会上，父亲总是显得很忙。他又是吹气球，又是布置桌子，而把插着蜡（là）烛的蛋糕推过来让我

蜡烛: wax candle

吹的，是我妈。

我翻阅（yuè）影集时，人们总是问我："你爸爸是什么样子的？"天知道！他老是忙着替别人拍照，而影集里的照片不是我的，就是妈妈的。我们笑容可掬（jū）地一起拍的照片，多得不得了。

我记得妈有一次让他教我骑自行车。我叫他别放手，但他却说是应该放手的时候了。我摔倒之后，妈跑过来扶我，父亲不但不扶我，而且还挥手要妈妈走开。我生气极了，宁肯再摔断腿，我也要自己骑给他看！我马上爬上自行车，而父亲在一边只是微笑。

我念大学时，所有的家信都是妈写的。父亲除了寄支票外，还寄过一封短信给我，说因为没有我在草坪（píng）上踢球，所以他的草坪长得很美。

每次我打电话回家，虽然他都好象想跟我说话，但结果总是说："我叫你妈来接。"

我结婚时，掉眼泪的是我妈。父亲只是大声擤（xǐng）了一下鼻子，便走出房间。

翻阅：browse; look over
影集：photo album
拍照：photograph

笑容可掬：show pleasant smiles
❖用"……得不得了"造句。

宁肯：would rather

★父亲为什么微笑？

支票：check
草坪：lawn; grassplot
❖区别"坪""评""苹"，并组词。

眼泪：tear
擤：blow one's nose

★"我"结婚时，父亲的心情怎么样？

62

我从小到大都听他说："你到哪里去？什么时候回家？汽车有没有汽油？不，不准去。"

父亲真是不知道怎样表达爱！

（选自《读者文摘》，略有改动）

汽油：gasoline

★你认为是父亲不会表达"爱"还是"我"不会感觉"爱"？

偿				诊				蜡					
阅				掬				坪					
撑													

撑　　　相处　　　错事　　　清单　　　赔偿　　　门卫
紧急　　　蜡烛　　　翻阅　　　影集　　　拍照　　　宁肯
支票　　　草坪　　　眼泪　　　汽油　　　急诊室
笑容可掬

笑一笑

这样省力

爸爸一手抱着女儿，一手提着皮包，要去超市买东西。女儿心疼爸爸太累，就说："爸爸，你抱着我，我给你提皮包，这样你就会轻松些。"

就这样，我便踏上了人生的旅途。

 18 别离的故事

那四季如春的山城，是我出生的地方。离开它的前几天，妈妈带我上街，就在一家常去的饭店，给我点了我最喜欢吃的饺子。

"孩子，你离开家，最留恋的是什么？"妈妈道。

"我？"我一面吃，一面含糊地答道，"我留恋的是我的学校，我的同学们。"

"家呢？"妈妈的语调中微微有些失望。"你一点儿也不留恋家吗？"

"家？"我怔了一下，连忙补充道，"家当然也留恋。"

妈妈大概听出这并不是我的真实想法，轻轻地叹了一口气，便默然了。过了一会儿，她又抬起头来问我："你离开的时候，会不会哭？"

"哭？"我哈哈地笑了起来，"男孩子，怎么可以哭！"

人生：life

旅途：journey

别离：leave; departure

❧"四季如春"中的"如"是什么意思？

山城：mountain city

留恋：yearn for

含糊：ambiguous; vague

★母亲为什么会"有些失望"？

默然：silent

妈妈笑了笑，但我觉得好像有点儿勉强。

时间在我的身边悄悄地滑走，到了最后的午餐的时候，我突然觉得心沉了下去。全家围坐在一张桌子边，吃的是鸡粥。刚吃两口，妈妈突然捂着脸跑了出去，我的眼泪一下涌了出来，但却拼命地忍着，只顾低头一口口把粥往嘴里塞[sāi]。突然呛(qiāng)住了，我抬起头来，正想咳一下，却看见爸爸的泪水无声地流了一脸。我怎样都忍不住了，"哇"的一声，便冲向洗手间。

当我走向海关时，送行的人们被隔在一百米以外。我提着箱子，一步一步地慢慢向前走，并且频频回过头去，在人丛中寻找爸爸妈妈的身影。

我终于看到，爸爸妈妈正在那边挥着手，我的眼泪又涌了上来。我放下箱子，无力地招了招手，连再多看一眼的勇气也没有，便回头顺着人群向前流去。等我想再看他们一眼时，我的视线已经给建筑物挡住了。爸爸呢？妈妈呢？全都看不见了。

就这样，我便踏上了人生的旅途。眼泪模糊了我的视线，心顿时好

★ 为什么母亲的笑"有点儿勉强"？

塞：stuff; cram

呛：choke

洗手间：toilet; washroom

海关：customs

频频：again and again; repeatedly

无力：weak

✿ 用"模糊"和"含糊"造句。

65

像给分隔成几片。

从那以后，我就像只断线的风筝，再也没有回去过。

要知道，在这之前，我从来没有离开过父母身边半步呀！

那年，我才十六岁。

（本文作者陶然，有改动）

分隔：separate; divide

★ 为什么说"我就像只断线的风筝"？

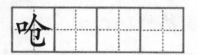

塞	呛	人生	旅途	别离	山城
留恋	含糊	默然	海关	频频	无力
分隔	洗手间				

背一背

赠汪伦①

李 白

李白乘舟将欲行，
忽闻岸上踏歌②声。
桃花潭③水深千尺，
不及④汪伦送我情。

---

① ［汪伦(wāng lún)］人名，李白的朋友。

② ［踏歌］用脚踏地打拍子同时唱歌。

③ ［桃花潭］水名，在泾(jīng)县西南。

④ ［不及］比不上。

妈妈跟着叹了一口气，爸爸朝我眨眼睛。我鼻子一酸，哭了。

 19 二十岁的生日

"二十岁是个大生日。"同学们这么对我说，爸爸妈妈也这么说。

我参加过好几个同学的二十岁生日宴会。也许是家里房子都不大，也许是长辈在旁边，宴会总有几分别扭。如果爸爸妈妈不参加，同龄人有的是自己的快乐。一个狂欢的夜晚，常常让我们一下子感觉到自己长大了。

我的生日也要这样过，我想。可是，我有些为难了。

母亲早几天就问我爱吃什么，忙着做准备，父亲还问我喜欢什么礼物。我怎么开口呢？

时间不等人，同学早就约好了。如果爸爸妈妈再请来外婆一家，就麻烦了。我只好吞吞吐(tǔ)吐地开了口："我想请同学来热闹一下。你们先不要参加，过几天家里再过，好吗？"

❖ 这里的"也许"可以用什么词语替换？

同龄：of the same or nearly the same age

狂欢：revelrous

吞吞吐吐：hum and haw

他们都不出声了，脸色也不大好看。我差不多要哭了，亲爱的爸爸妈妈，你们能理解女儿吗？她也是大人了，她也有自己微不足道的交际和由此产生的欢乐。而这一切，我怎么说得清楚呢？

僵（jiāng）了好一会儿，爸爸叹口气，说："好吧！我们出去躲一个晚上。"

生日那一天，妈妈还是为我买了许多菜，但大家都有些沉默，我也不知道该说些什么。四点钟，爸爸妈妈带着弟弟出去了。

我一个人在家里忙开了，菜摆满了一桌子，够丰盛的。我欣赏着自己的杰作，兴奋中又有几丝不安。直到同学们来了以后，这不安才烟消云散。

欢笑一下子充满了整个房间，相册、娃娃、围巾（jīn）等各种各样的礼物堆了一桌子。我们兴高采烈地吵啊、闹啊，当二十支蜡烛点燃的时候，我发现自己在这一个晚上，拥有了太多的欢乐。

十点钟，爸爸妈妈回来了。我笑着请他们吃蛋糕，他们也似乎高兴地

出声：speak; make a sound

微不足道：trivial; insignificant

交际：social intercourse

★ "我"为什么不想和爸爸妈妈一起过生日？

僵：deadlock; refuse to budge

♣ 这个"够"和"够吃了"中的"够"意思一样吗？

杰作：masterpiece, a great work

烟消云散：disappear (vanish) like mist and smoke; completely vanish

围巾：scarf

拥有：possess; have

和同学们打招呼。

以后几天，爸妈变得沉默起来，很少说话，我也很难开口跟他们解释。

不久的一个下午，朱叔叔夫妻俩突然来到我家。一进门，朱叔叔就对爸爸说："今天躲儿子生日，来你家混(hùn)一顿饭。你招待不招待？"他妻子于阿姨也忍不住说："辛辛苦苦把他养大，好容易盼到他二十岁，想跟他欢欢喜喜过个生日也不成。他要请同学，不要爸爸妈妈了，想想真伤心啊！"说着说着，眼泪一下子流下来了。

大家都愣住了。妈妈跟着叹了一口气，爸爸朝我眨眼睛。我鼻子一酸，哭了。

（根据《广州青年报》同名文章改写）

★ "我" 想解释什么？

夫妻：husband and wife

混：get sth. free of charge

好容易：not at all easy; very difficult

★ 你觉得二十岁的生日应该和谁过？

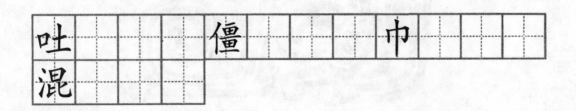

僵　　　混　　　同龄　　　狂欢　　　出声　　　交际
杰作　　　围巾　　　拥有　　　夫妻　　　好容易
吞吞吐吐　　　微不足道　　　烟消云散

读一读

"好容易"和"好不容易"

　　"不"是否定副词，如果一个词语加上"不"，那么意思肯定相反。不过"好容易"和"好不容易"意思却是一样的，都是说"不容易"。"好容易见到他"和"好不容易见到他"，都是"见到他很难，很不容易"的意思。

我们家里有一个男子汉，那是姐姐的孩子。

男子汉: a manly man

 20 我们家的男子汉

我们家里有一个男子汉，那是姐姐的孩子。他爸爸妈妈在安徽（huī, An hui Province），把他留在我家里。

他对父亲的崇拜

他和父母在一起的时候很少，和父亲在一起，就更少了。假如爸爸妈妈拌（bàn）嘴，有时是开玩笑的拌嘴，他也会认真起来，站在妈妈一边攻（gōng）击爸爸，阵线十分鲜明，并且会去帮助妈妈向外婆求援。然而，家里有什么电器或别的东西坏了，他便说："等我爸爸回来修。"有什么人不会做什么事，他会说："我爸爸会的。"在他的心目中，爸爸什么都会。有一次，他很不听话，我教训他，他火了，说："我叫爸爸打你。"我也火了，说："你爸爸，你爸爸在哪儿？"他忽然低下了脑袋，小声地说："在安徽。"他那悲哀（āi）的声音和神情叫我久久不能忘怀，从此我再不去破坏他和他那

★ 结合下文想一想，作者为什么要称一个小孩子为"男子汉"？

拌嘴: bicker; squabble

攻击: attack

♣ 区别"攻""功"，并组词。

阵线: alignment

求援: ask for help

电器: electrical appliance

听话: obedient; tractable

悲哀: grieved; sad

忘怀: forget

无所不能的爸爸在一起的这种境界了。

他对独立的要求

不知从什么时候起，和他出去，他不愿让人牵他的手了。一只胖胖的手在我的手里，像一条倔强（jué jiàng）的鱼一样挣扎着。有一次，我带他去买东西，他提出要让他自己买。我给他一角钱。他握着钱，走近了柜台，忽然他又胆小起来。我说："你交上钱，我帮你说好了。""不要，不要，我自己说。"他说。到了柜台前，他又嘱咐我一句："你不要讲话啊！"营业员终于过来了，他脸色有点儿紧张，但还是勇敢地开口了："我买，买，买……"他忘了他要买什么东西了。我终于忍不住了："买一包山楂（zhā）片。"他好久没说话，神情有些沮（jǔ）丧。我有点儿后悔起来。后来，他会自己拿着五个汽水瓶和一元钱到小店换橘（jú）子水了。他是一定要自己去的。假如我不放心，跟在他后面，他便停下脚步不走了："你回去，回去嘛！"我只得由他去了。他买橘子水越来越熟练，情绪也越来越高涨，最终成了一种可怕的狂热。为了能快点儿拿着空瓶再去买，他便飞快而努力地喝橘子

境界: realm; state

独立: independence

倔强: stubborn; unbending
★ "强"还有什么读音？

柜台: counter; bar

♣用"紧张"组成短语，越多越好。

山楂片: slices of hawthorn
沮丧: depressed
★ "他"为什么"神情有些沮丧"？
汽水: soft drink; soda water
橘子水: orangeade

情绪: morale; mood
高涨: run high; upsurge
狂热: tremendous enthusiasm

水。一个炎热的下午，我从外面回来，见他正在门口小店买橘子水。他站在柜台前，露出半个脑袋。营业员只顾和几个大人做生意，看都不看他一眼。他满头大汗地、耐心地等待着。我很想走过去帮他叫一声，可最后还是忍住了。

★ 这一次"我"为什么没有帮助"他"？

（本文作者王安忆，有改动）

拌				攻			哀			
倔				楂			沮			
橘										

拌嘴　　攻击　　阵线　　求援　　电器　　听话
悲哀　　忘怀　　境界　　独立　　倔强　　柜台
沮丧　　汽水　　情绪　　高涨　　狂热　　男子汉
山楂片　　橘子水

笑一笑

儿子的衣领

早晨，儿子下楼吃早餐时穿了一身漂亮的衣服，显得十分英俊，只是领子没有拉直。"你今天的样子真帅。"我一面说一面伸手去拉直他的衣领。

"妈，不要去弄它，"他说，"等一会儿上课碰到某一个人时，她会替我拉直的。"

从前有个小女孩儿，总想够着天上的星星。

 21 天上的星星

从前有个小女孩儿，总想够着天上的星星。

有一天，她独自去找星星。她先来到旧磨房的贮水池边，对贮水池说："请问，你看见过天上的星星吗？"

贮水池：cistern

"啊，看见过，"贮水池说，"星星经常到我的水里来玩儿。你跳进来游泳吧，也许会找到它们。"

✤ 用"也许"造句。

小女孩儿跳进贮水池，游呀，游呀，但还是找不到星星，只找到一条小溪。她问小溪："你看见过天上的星星吗？我非常想要星星。"

"啊，看见过，"小溪回答说，"星星常常下来，在我的岸上玩儿。你涉水走吧，也许能找到星星。"

涉水：wade across or ford a river, stream, etc.

于是她走呀，走呀，都走累了，也没有找到天上的星星。她来到一块草

74

地上，看见仙女们正在那儿玩儿呢。

"请问，"小女孩儿问仙女们，"你们看见过天上的星星吗？我很想知道在什么地方可以找到星星。"

"啊，看见过，"仙女们说，"星星常在我们脚边的草丛里闪光。和我们一起跳舞吧，也许你会找到星星。"

于是，小女孩儿就翩(piān)翩起舞，跳呀，跳呀，但还是找不到星星。这时，她非常累，就坐下哭起来。

"我找了这么久，"她说，"还是没有找到星星。如果你们不能帮我，那就没人帮我了。"

"小姑娘，"仙女们说，"如果要找到星星，你必须请四只脚的驮着两只脚的去找没有脚的，没有脚的会把你驮到没有阶梯的梯子前面。要是你爬上没有阶梯的梯子，就可以靠近天上的星星了。"

小女孩儿谢过仙女们，鼓起勇气动身了。不久，她来到一座黑暗的森林，林边的树上拴着一匹马。

"请问"，小女孩儿说，"你能帮我找到天上的星星吗？"

"不能，"马说，"那不是我的事，我只为仙女们效劳。"

♣ 你能用"丛"组几个词语吗？

翩翩起舞：dance gracefully
♣ 区别"翩""遍"，组词。

阶梯：a flight of stairs

勇气：courage
★ 为什么说她"鼓起勇气"动身？
黑暗：dark

效劳：offer one's services

75

"是仙女们告诉我，请四只脚的驮着两只脚的到没有脚的那儿去。"

"如果是这样，"马说，"那你就爬到我的背上来吧。"

他们很快走进黑暗的森林，穿过森林，来到一条宽阔的大路上，顺着大路到了海边。

"下来吧，小姑娘。"马说，"我已经照仙女们的吩咐做了。"说着，马扬起头，转身朝黑暗的森林跑去，撇(piě)下小女孩儿站在海边。

正当她不知道该怎么办的时候，一条大鱼出现在她的脚边。

"请问，"小女孩儿说，"你能帮我找到天上的星星吗？"

"不能，"鱼说，"那不是我的事，我只为仙女们效劳。"

"正是仙女们，让我来找没有脚的，没有脚的再把我带到没有阶梯的梯子旁。"

"如果是这样，"大鱼说，"就跳到我背上来吧。"

于是，他们游过大海。大海尽头的上空有一样东西，那东西有红、黄、蓝、绿等多种颜色。最后，他们来到那个东西的下面，鱼说："我已经把你

♣写出"背"的不同读音，分别组词。

撇下：leave aside

上空：above in the sky

★你知道那个"没有阶梯的梯子"是什么吗？

带到没有阶梯的梯子跟前，我得和你分手了。"

小女孩儿一个人站在天空中那样东西的下面，那东西光芒(máng)四射，绚(xuàn)丽多彩。于是她开始往上爬，爬呀，爬呀，但还够不到天上的星星。突然一滑，掉了下来。掉呀，掉呀，要不是碰到自己卧室的地板，她至今还在往下掉呢。她醒来一看，原来是早晨了。

光芒四射：shed rays in all directions

绚丽多彩：bright and colourful

★ 小女孩儿是真的到天上去了吗？

（选自《英国童话故事》，有删节）

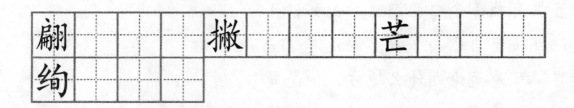

涉水　　阶梯　　勇气　　黑暗　　效劳　　撇下
上空　　贮水池　　翩翩起舞　　光芒四射
绚丽多彩

猜一猜

点点银花放异彩(extraordinary splendour)，

白天不开晚上开。

若问银花有几朵，

谁也不能数出来。

（打一自然现象）

最高兴的要数王子了，因为现在他知道，他得到了一位真正的美丽的公主。

22 豌(wān)豆上的公主

那是很久以前的事了。有一位英俊的王子，他想娶一位真正的公主做妻子。许多公主听说后纷纷前来，国王和王后也为他选了不少，可是王子一直没有找到令自己满意的姑娘。于是他就决定自己去寻找。他走遍了全世界，可是无论到什么地方，他总是碰到一些障碍。公主倒有的是，不过他没有办法断定她们究竟是不是真正的公主，她们总是有些地方不大对头。结果他只好回到家里，心中很不快活，因为他是那么渴望着得到一位真正的美丽的公主。

有一天晚上，忽然来了一阵可怕的暴风雨。一时间电闪雷鸣，人们都有些害怕，以为有什么不幸的事情要发生。这时有人在敲城门，国王就走过去亲自开门。

王子: prince

豌豆: pea

✤ "英俊"可以用哪个词替换?

王后: queen

障碍: obstacle; barrier

✤ "不大对头"是什么意思?

电闪雷鸣: lightning accompanied by peals of thunder

不幸: unfortunate; sad

站在城门外的是一位姑娘。天啊！经过风吹雨打以后，她的样子是多么难看啊！水沿着她的头发和衣服向下面流，流进了鞋子里，又流了出来。她对老国王说，她是一个真正的公主，专程前来拜访王子，如果不相信可以考验考验她。

"是的，这点我们马上就可以弄明白。"王后心里想，可是她什么也没有说。

王后走进专门为到这里来的公主们准备的卧室，撤下床上所有的被褥(rù)，只留下光光的床板。她从口袋里掏出一粒小小的豌豆，轻轻地放在床板上。然后，她又命令人取出20床垫(diàn)子和20床非常柔软的鸭绒(róng)被，把它们铺在豌豆的上边。

王后走出公主的卧室，对自称是真正公主的那位姑娘说："今天很晚了，请你先睡在这间卧室中，床上的一切我已经为你预备好了。"

第二天一大早，王后便来到卧室。她看到梳洗后的公主非常漂亮，心里很高兴。王后问："昨晚睡得怎样？"

"啊，不舒服极了！"公主说，"我

风吹雨打：be buffeted by wind and rain

专程：special trip
考验：test; try

被褥：bedding; bedclothes
床板：bed board

垫子：mattress; pad; cushion
鸭绒被：eiderdown quilt

★ 根据下文想一想，王后为什么要在床上放一粒豌豆？

自称：call oneself; claim to be

差不多整夜没有合眼！天晓得我床上有件什么东西！那件东西太硬了，硌(gè)得我全身又疼又痒(yǎng)，真是太可怕了！"

听完公主的话，王后一阵惊喜。她知道，这是一位真正的公主，长得又那么漂亮，王子这一回终于可以如愿以偿了。因为，只有真正的公主才能感觉到那压在 20 床垫子和20 床鸭绒被下面的一粒豌豆。除了真正的公主以外，任何人都不会有这么娇嫩的皮肤的。

最高兴的要数王子了，因为现在他知道，他得到了一位真正的美丽的公主。这粒豌豆因此也就被送进了博物馆。如果没有人把它拿走的话，人们现在还可以在那儿看到它呢。

（本文根据安徒生童话改写）

★ "整夜没有合眼" 是什么意思？

天晓得：God knows!

硌： press or rub against

痒： itch; tickle

如愿以偿： have one's wish fulfilled

娇嫩： delicate and tender

★ 你能说说为什么要把那粒豌豆送进博物馆吗？

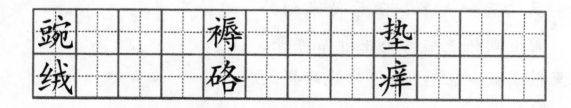

| 豌 | | | | 褥 | | | | 垫 | | |
| 绒 | | | | 硌 | | | | 痒 | | |

硌　　　痒　　　王子　　　豌豆　　　王后　　　障碍

不幸　　　专程　　　考验　　　被褥　　　床板　　　垫子

自称　　　娇嫩　　　鸭绒被　　　天晓得　　　电闪雷鸣

风吹雨打　　　如愿以偿

娃 娃 亲

（marriage arranged when very young）

有一个女孩儿刚一岁，便有人想结成娃娃亲，说他的儿子正好两岁。

女孩儿的父亲听了，十分生气地说："你家男孩儿比我女儿大一倍，等我女儿十岁的时候，你们儿子都二十了，那怎么行呢？"

女孩儿的母亲听了，笑着说："你弄错了，我们女儿只跟他差一岁，过一年就一般大了，不是正合适吗？"

有一次，祖母送了她一顶红色
的天鹅绒帽子，她很喜欢，天天都
戴着，从此大家叫她"小红帽"。

祖母：grandmother

天鹅绒：velvet

23 小红帽

从前，有一个漂亮的小女孩儿，
人人见了都爱她，尤其是她祖母。有
一次，祖母送了她一顶红色的天鹅绒
帽子，她很喜欢，天天都戴着，从此
大家叫她"小红帽"。

有一天，母亲对她说："小红帽，
这里有一块蛋糕和一瓶葡萄(pú táo)酒，
拿去送给祖母吧。她有病，身体虚弱，
吃了可以帮助她尽快恢复健康。"

小红帽说："你放心，我会送到祖
母那里的。"然后她就出发了。

祖母住在郊外的大森林里。小红
帽到森林里的时候，遇见了狼。她不
知道狼是非常残忍的东西，所以根本
不怕它。狼说："你好，小红帽，这么
早到哪里去呀？""你好，狼，我到祖
母那里去。""你拿的是什么东西？"
"蛋糕和葡萄酒。""小红帽，你的祖母

♣ 用"尤其"造句。

★ 大家为什么叫她"小红帽"？

葡萄酒：wine

虚弱：weak; feeble

残忍：cruel; ruthless

住在哪里？""在森林里。她的房子在三棵大橡（xiàng）树下面。"狼心里想："一个小孩儿，一个老太婆，我应该想办法把两个都捉住。"于是它说："小红帽，你看周围这些美丽的花，为什么不瞧一瞧呢？鸟儿叫得这样好听，你却好像没有听见一样。"

小红帽看了看这美丽的森林，她想："如果我带一些鲜花给祖母，她一定会很高兴的。"于是，她离开大路，到森林里去给祖母采花。

狼见小红帽走了，就一直来到祖母的家。它敲敲门。祖母问："外面是谁？""是小红帽，给你送好东西来了。"祖母说："那就快进来吧，我没有力气，起不来。"狼推开门，一直走到祖母床边，一下子就把她吞了下去。然后它穿上祖母的衣服，戴上她的帽子，躺在了她的床上。

再说小红帽，她采了很多花，多到拿不动了，才想起祖母来。她回到大路上，继续往祖母家里走去。到了那里，门开着，房间里也有些异样。她叫道："早安！"但是没人回答。于是她走到床前，看见祖母躺在那里，帽子戴得很低，样子很奇怪。"啊，祖母，

橡树：oak

老太婆：old woman

★ 狼为什么要劝小红帽看看周围的美景？

❖ "吞"可以用哪个词替换？

异样：unusual

你的耳朵为什么这样大？""为了能更好地听你说话呀。""祖母，你的眼睛为什么这样大？""为了能更好地看你呀。""你的手为什么这样大？""为了能更好地抚摸你呀！""但是，祖母，你的嘴为什么大得这样怕人？""为了能更好地吃你呀。"狼一说完，便从床上跳下来，把可怜的小红帽一口吞了下去。

狼吃了她们，心满意足地躺在床上，睡着了，开始大声打鼾(hān)。恰巧有个猎人从屋前走过，想到："鼾声怎么这么大，我应该去看看老太太是不是不舒服。"他走进房间，看见狼躺在床上。他说："你这个坏东西，我找了你很久，终于在这里找着了你。"他端起枪(qiāng)，忽然想到，狼可能把祖母吃了。于是他又放下枪，拿起剪刀剪开狼的肚皮。他剪了几下，看见一顶小红帽子，又剪几下，小红帽跳了出来；后来祖母也出来了，她还活着。小红帽赶快去拿大石头来填(tián)到狼肚子里。狼醒了想逃走，但是石头非常重，没走几步它就倒下死了。

（本文根据格林童话改写）

❖你能用"抚摸"组成几个短语吗？

打鼾：snore

恰巧：happen to; by chance

猎人：hunter

枪：gun; rifle

肚皮：belly

填：fill; stuff

葡			萄			橡		
鼾			枪			填		

枪　　　填　　　祖母　　　虚弱　　　残忍　　　橡树

异样　　　打鼾　　　恰巧　　　猎人　　　肚皮

天鹅绒　　　葡萄酒　　　老太婆

背一背

大林寺①桃花

白居易

人间四月芳菲②尽③，

山寺桃花始盛开。

常恨春归无觅④处，

不知转入此中来。

──────

① [大林寺] 在庐山上。

② [芳菲(fēi)] 这里指花草。

③ [尽] 完，凋谢。

④ [觅(mì)] 寻找。

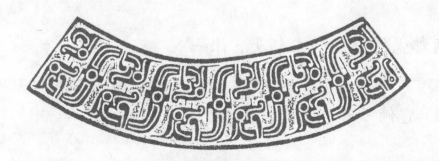

圆圆和方方是你的老朋友啦：
圆圆就是你下象棋的棋子，方方就
是你下军棋的棋子。

象棋：Chinese chess
军棋：military chess

 ## 24 圆圆和方方

你认识圆圆和方方吗？它俩是你
的老朋友啦：圆圆就是你下象棋的棋
子，方方就是你下军棋的棋子。

有一天夜里，象棋正好和军棋放
在一起，它们没事儿就开始聊天了。

圆圆觉得自己的本领大，它对方
方说："你瞧瞧，世界上到处都是我圆
圆的兄弟——元宵是圆的，足球是圆
的，脸盆、饭碗、茶杯是圆的，就连
地球、太阳、月亮也都是圆的！"

方方听了不服气，说道："你瞧
瞧，世界上到处是我方方的兄弟——
书是方的，报纸是方的，床是方的，毛
巾是方的，就连天安门广场也都是方
的！"

它俩都觉得自己的本领大，你一
言，我一语，吵到半夜，还是谁也说
服不了谁。它俩吵着，争着，吵累了，

✤读一读，注意词语的搭配：
　　下棋（下军棋、下象棋）
　　踢足球　打网球　打篮球

脸盆：washbasin
✤用"盆"字组成几个词。

天安门广场：Tian'anmen Square

说服：convince; persuade

争累了，夜深了，睡着了。

圆圆睡着了，开始做梦——

圆圆梦见自己来到建筑工地，一看，方方的同伴在那里——一大堆砖头都是方的。圆圆气坏了，说声"变"，那些砖头就都变成圆的了。可是，用圆砖头砌(qì)成的房子，砖头会滚动，一下子就塌了。

圆圆来到了农村，一看，方方的同伴又在那里——成块成块的田都是方的。圆圆很不高兴，说声"变"，就叫那些田都变成圆形的。这时，圆圆听见一个不高兴的声音："是谁把田都变成圆的？圆跟圆之间，多出来一大块空地，这怎么行呢？太浪费土地啦！"

这一夜，圆圆做了好几个梦。在每一个梦里它都想把方方赶走，变成圆圆，可是都没有成功。

想不到，方方睡着了，也做起梦来——

方方梦见自己在马路上遇到一辆自行车。它一看见自行车的车轮是圆的，心里就火了。它说声"变"，自行车的车轮一下子就变成方的了。这时，自行车马上倒了。骑自行车的阿

做梦：have a dream; dream

砖头：brick

砌：build by laying bricks or stones

农村：countryside; village

土地：land

★为什么圆圆做的梦都没有成功？

车轮：wheel of a vehicle

★方方为什么会"火"？

姨从地上爬起来，非常生气："是谁把我的车轮变成方的？方的车轮怎么滚动？"

方方没办法，东游西逛，来到了炼油厂。它一看，炼油厂油罐(guàn)怎么都是圆的，很不顺眼。它说声"变"，把油罐一下子变成了方的。想不到，这下子可闯祸了，油罐里的汽油直往外冒。油罐生气地说："是谁把我变成方的？要知道，圆形的东西装得最多，一变成方形的，油就装不下了。"方方一听，赶紧大叫："变，变，变……"

这时，圆圆一夜没睡好，刚刚睡着，就被方方大叫"变，变，变"的声音吵醒了。

圆圆问方方为什么连声叫"变"，方方不好意思地把自己做的梦告诉了圆圆。圆圆一听，脸也红了，不好意思地把自己做的梦也告诉了方方。

从此，圆圆跟方方再也不吵了，互相尊重，互相学习。因为它俩懂得：圆圆有圆圆的优点，方方也有方方的用处。

（本文作者叶永烈，有删节）

东游西逛：fool around

炼油厂：oil refinery

❖写出"炼"的同音字，组词。

油罐：oil can; oil tank

闯祸：bring disaster; get into trouble

★它俩为什么会"不好意思"？

优点：advantage; strong point

88

砌　　　　　　　罐

砌　　象棋　　军棋　　脸盆　　说服　　做梦
砖头　　农村　　土地　　车轮　　油罐　　闯祸
优点　　炼油厂　　东游西逛　　天安门广场

想一想

观棋不语真君子(gentleman)

　　中国有句古话，叫"观棋不语真君子"。就是说，看别人下棋的时候，只看不说话，才是真正的君子。但是，这也不能绝对。

　　相传有甲乙两人下棋，忽然有一个人匆匆忙忙来找甲。那人见甲正在下棋，只好在旁边等着。等到棋下完了，他才对甲说："快回去吧，你家着火了！"想一想，甲这时的心情会怎样呢？

鲁西西用被子蒙上头，哭了。

被子：quilt

 ## 25 女明星和图钉公主

一

　　鲁西西的床头有一张女电影明星的照片。鲁西西对这位女明星崇拜极了，每天睡觉前和起床前，都要对着女明星的照片看一会儿。

　　照片是用一颗图钉按在墙上的。以前，鲁西西从来没有注意过这颗图钉，她只顾看照片了。这天睡觉前，鲁西西偶然发现图钉上有一个影子，她凑近一看，图钉里有个小姑娘！

按：press; push down

★鲁西西为什么从来没有注意过这颗图钉？

只顾：be absorbed in

凑近：move close to

　　"你是谁？"鲁西西好奇地问。

　　"我是图钉公主。"小姑娘说话了。

　　"你从哪儿来？"

　　"我一直住在图钉里。"

　　"我怎么不知道？"

　　"现在你不是知道了吗？"

　　鲁西西看了一眼图钉下边的女明星，觉得图钉公主和女明星比起来，真的逊(xùn)色多了。如果人人都像女

逊色：be inferior to

❀仿照"逊色多了"，用"……多了"造句。

90

明星这样美，该多好。鲁西西想。

鲁西西睡着了。

二

半夜，鲁西西被一阵说话声吵醒了。

她睁开眼睛，看见一只小蜘蛛(zhī zhū)趴在女明星的照片旁边。

蜘蛛：spider

"图钉公主，跟你商量一件事可以吗？"小蜘蛛说。

"什么事？"图钉公主问。

"屋里有一只蚊(wén)子，我想抓住她。"

蚊子：mosquito

"我能帮你什么呀？"

"我得在你身上拴一根线，然后结一张网。"

结网：spin; weave a net

"行，来吧！"

鲁西西挺感动，她最怕蚊子咬。

小蜘蛛朝图钉爬过去。

"从这边绕着走，别碰着女明星。"图钉公主叮嘱小蜘蛛。

小蜘蛛绕了一个圈子来到图钉公主身边。她开始在图钉上系线。

绕圈子：circle; make a detour

"系好了。我把另一头系到对面的墙上去。"小蜘蛛拉着线爬走了。

另一头：the other side

三

一张蜘蛛网在空中拉好了：一头

拴在图钉上，一头拴在对面墙的一颗小钉子上。小蜘蛛继续工作着。

就在这时，意想不到的事发生了。鲁西西清清楚楚地看见，女明星从照片里伸出手来把蜘蛛网拉断了。小蜘蛛掉在地上，大叫了一声。

"你这是干吗？"图钉公主质问女明星。

"谁让她在我头上结网的！"女明星理直气壮地说。

"你……"

"怎么样？就是我不拉断，明天鲁西西看见我头上有蜘蛛网，也会这么干的！"

鲁西西没想到女明星这么不讲理。

这时，小蜘蛛的妈妈来了："图钉公主，你为什么欺负我的女儿？她第一次出来抓蚊子，就摔断了四条腿！"

"对，你说，你为什么暗害小蜘蛛。"女明星也质问图钉公主。

图钉公主愣住了，她说不出话来。鲁西西也愣住了，她万万没想到女明星会这么干！鲁西西用被子蒙上头，哭了。

（本文作者郑渊洁，有删节）

意想不到：unexpected

★为什么说是"意想不到"的事情？

质问：question; interrogate

❀读一读：

蜘蛛　蜘蛛网　蛛网

蛛丝　结网　织网

讲理：reasonable

暗害：stab in the back; murder

★"这么干"指的是怎么干？鲁西西为什么哭了？

92

逊					蜘				蛛			
蚊				

按　　　　被子　　　只顾　　　凑近　　　逊色　　　蜘蛛

蚊子　　　结网　　　质问　　　讲理　　　暗害　　　绕圈子

另一头　　　意想不到

猜一猜

一个姑娘本领多，
天天在家织网罗。
网罗织成当中坐，
专抓蚊子和飞蛾。

（打一种动物）

鸟儿们都飞走了，留下了一串"假鸟、假鸟"的声音回响在金丝鸟的耳边。

回响：echo

金丝鸟：golden bird

26 "金丝鸟"的悲哀

一户人家的阳台上摆满了大大小小的花盆，各种美丽的花兴奋地议论着到底谁漂亮。阳台上还有一个精致的鸟笼，里面住着一只美丽的百灵鸟。每天清晨，百灵放开歌喉(hóu)，叫醒正在酣(hān)睡的花儿和勤劳的人们。所以，百灵特别受到人们的喜爱。

有一只鸟儿不满意了。它是这户人家橱(chú)窗里陈列的一只金丝鸟，是一只用铁丝架、金丝绒做成的鸟。金丝鸟不高兴地想：百灵有什么了不起？长得那么难看！它低头瞧瞧自己，金黄色的金丝绒大衣，五彩的尾翎，红红的小脚……它越看越委屈：自己这么美，却被摆在橱窗里，人们难得多看几眼；百灵那么难看，人们却偏爱它，可真让人想不通。

金丝鸟找到百灵，把气一股脑儿

鸟笼：birdcage

百灵鸟：lark

歌喉：singer's voice

♣区别"喉""猴"，组词。

酣睡：sleep soundly

橱窗：show window

铁丝架：iron-wire frame

尾翎：tail

★"想不通"是什么意思？金丝鸟为

什么"想不通"？

一股脑儿：completely

地撒向她："你有什么了不起，主人凭什么偏爱你？你敢同我到大森林去找鸟儿评评理，看看到底谁应该得到大家的喜爱？"

"好吧，我和你一起去。"一向温柔善良的百灵同意了。百灵和金丝鸟偷偷离开主人家，到大森林里去了。

听说百灵回来了，鸟儿们可高兴啦，纷纷赶来迎接。金丝鸟采了一朵特别大的花把支撑全身的铁丝和连接部分遮了起来，把自己打扮得漂漂亮亮。然而，山雀、黄鹂(lí)、喜鹊，它们围着百灵亲热地说个不停，没有谁注意到金丝鸟。这使金丝鸟很失望：自己是第一次来大森林，而百灵以前就住在这里……金丝鸟正想着，忽听一只山雀惊奇地说道："哦，天哪，这只鸟的尾翎多么美丽呀！"金丝鸟看见山雀在说自己，心中不由得一阵高兴。

小山雀这么一说，鸟儿们都注视着这只金丝鸟，它们交头接耳地说道："真美呀，从来没见过这样美丽的鸟儿呢！"

在一片赞美声中，金丝鸟陶醉(zuì)了："我要跳一个舞，唱一首歌，让鸟

❖用"凭"造句。

一向：always

★它们为什么要到森林里去？

山雀：tit
黄鹂：oriole

❖用"不由得"造句。

陶醉：be intoxicated

95

儿们狂热地崇拜我。"金丝鸟越想越兴奋，忘记了自己是一只假鸟——那美丽的翅膀被线连着，动也不能动，自己也没有动听的歌喉。金丝鸟索性扔掉了采来的花，尽量展示着那展不开的翅膀。就在这一刹那，鸟儿们的赞叹声停止了，它们清楚地看到了金丝鸟羽毛下的铁丝。

又是那只山雀惊叫起来："哦，天哪，她是只假鸟！"

"她是只假鸟，假鸟！"鸟儿们那赞美、羡慕的目光变成了厌恶、蔑视。鸟儿们都飞走了，留下了一串"假鸟、假鸟"的声音回响在金丝鸟的耳边。

（本文选自《课外语文》，有改动）

动听：be pleasant to listen to

索性：simply

停止：stop; cease

★ 设想一下，鸟儿们飞走后金丝鸟会怎么想？

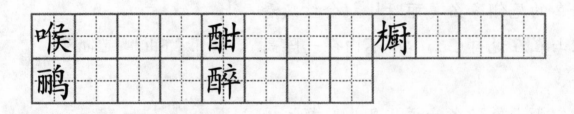

喉				酣				橱			
鹂				醉							

回响　　鸟笼　　歌喉　　酣睡　　橱窗　　尾翎
一向　　山雀　　黄鹂　　陶醉　　动听　　索性
停止　　金丝鸟　百灵鸟　铁丝架　　一股脑儿

滁州①西涧②

韦应物

独怜③幽草涧边生，
上有黄鹂深树鸣④。
春潮带雨晚来急，
野渡⑤无人舟自横。

---

① [滁(chú)州] 地名，在今天的安徽省。
② [涧] 山间的水流。
③ [怜] 怜爱，爱惜。
④ [鸣] 鸣叫。
⑤ [野渡] 野外荒凉地方的渡口。

"再见，"小温度计对挂着他的那枚小钉子说，"有一个大文学家说过，流浪才能产生天才。看来，我得走了。"

流浪：roam about

天才：genius; talent

 ## 27 小温度计高空漫游记

高空：upper air; high altitude

漫游：roam; wander

在实验室的墙上，挂着一支小小的温度计。他的心脏[zàng]非常非常红，而且又细又直，好像一根红线一样。夏天的时候，这根红线伸得很长，不过只要雪花一敲打实验室的窗户，这根红线就变短了。这真是一支挺神气的温度计！但是，忽然有一天，他不愿意再在这实验室里呆下去了。"再见，"小温度计对挂着他的那枚小钉子说，"有一个大文学家说过，流浪才能产生天才。看来，我得走了。"

一阵微风把他托起。噢，在这秋天的阳光的抚摸下，一切显得多么惬(qiè)意呀。大地就在下面，高大的楼房仿佛一个个火柴盒子，而河流就像一条条柔软的带子，远处还有几个小小的山峰。

实验室：laboratory

心脏：heart

★ 你知道小温度计里的红线伸长缩短的道理吗？

惬意：be comfortable and pleased

小温度计越升越高。这时他开始觉得冷起来。他低下头，看看自己身上，那根红线早就缩到只剩下一点点了。

忽然，他看到一只通红通红的大气球，正在慢慢地往上升。

"喂，老兄！"小温度计嚷起来，"你能不能说说，为什么高空这么冷呀？"

"那是因为空气越来越稀薄了。"气球有礼貌地回答道，"你应该穿件厚衣服。"

稀薄：thin

小温度计哪里有什么衣服呀！

突然，一股气流扑来，把小温度计吹得更高了。他看见，和金色的太阳一道，天上还有无数红的、黄的、绿的、蓝的星星在闪烁。但是最使小温度计觉得奇怪的是，天空好像有一幅幕(mù)布，仿佛被风刮得微微飘舞，而且发出五颜六色的光辉。

气流：air current; airflow

幕布：curtain; screen

❀写出"幕"的同音字，组词。

"喂，谁在那里打着一面彩旗呀！"小温度计喊道。

"我不是彩旗，是极光。"从遥远的高空传来了声音，"你离我还远着呢，到我跟前来看看就明白了。"

极光：polar lights

★你对极光现象有哪些了解呢？

"远？"小温度计惊讶地睁大了

99

眼睛。

"可不！"极光回答道，"你不过刚刚进入平流层。我可还在你头上八十公里处呢。"

"平流层？"

"是的。从现在起，你周围空气的温度升得越来越高了。"

小温度计觉得自己还在不断地上升。不过他还是感觉到寒冷，越往上升，他越觉得冷。但是他低头望望自己身上，不由得大吃一惊：他的心脏——那根细细的红线果然又伸长了！

底下有一个什么东西窜(cuàn)上来了。一枚火箭！

小温度计急急忙忙问道："喂，停一停！你能不能告诉我，这儿温度那么高，为什么我仍然觉得冷呢？"

火箭匆匆地从小温度计身旁擦过，只传来断断续续的声音：

"空气……太……稀薄……"

可不是！空气太稀薄，尽管在太阳照射下，温度很高，可是热量毕竟太少了。

小温度计继续往上升，终于到达了电离层，就是不久以前仿佛一面彩旗正在飞舞的出现极光的地方。周围

平流层：stratosphere

★ 你知道平流层有什么特点吗？

窜：soar; rise rapidly

火箭：rocket

断断续续：intermittently; off and on

毕竟：after all

❧ 读一读，用"毕竟"造句。

　　你毕竟是我的朋友啊！

　　不管怎么样，他毕竟还是来了！

电离层：ionosphere

仿佛有无数的火花，不断地闪烁着……

火花：spark

★ 小温度计都到了哪些地方？

（本文作者郑文光，有删节）

惬					幕				窜			

窜　　流浪　　天才　　高空　　漫游　　心脏

惬意　　稀薄　　气流　　幕布　　极光　　火箭

毕竟　　火花　　实验室　　平流层　　电离层

断断续续

想一想

消失的彩虹(rainbow)

夏天，一场暴雨过后，天边出现了一条五彩缤纷(colourful)的彩虹。它把自己高高地挂在了天上，将各种颜色抹了又抹，看了又看，自我陶醉起来。太阳公公眯着眼说："小彩虹，你确实很美，但是我劝你，不要把精力都花在打扮上。"

彩虹生气了，大声喊起来："你这个家伙，谁要你管！快给我滚开！"

"好，好，你不听劝告，将来会后悔的！"说完，太阳公公钻进了云层里。等到它再出来时，彩虹早已经消失得无影无踪(without a trace)了。

这真是一场既新奇又有趣的足球赛。

28 新奇的足球赛

晚饭前，爷爷笑眯眯地走进来，从上衣口袋里掏出一叠红红绿绿的票。

"足球票！"我高兴地抢着说。

爷爷是个足球迷。他年轻的时候，经常参加足球赛。一有球赛，他场场不落。当然还带着我。"对！是足球票。是核电站队和钢铁队比赛。这回我还要参加比赛呢！"爷爷兴高采烈地说。

妈妈一面往饭桌上摆碗筷，一面劝爷爷：

"唉！您都78了，还踢什么球！让他们小年轻去踢吧！您在场外指导一下就行了。"

爷爷没有回答，只是神秘地笑了笑。

晚上，我和爷爷、爸爸一起去看比赛。体育馆里一万多个座位坐得满

新奇：novel; new

♣ "上衣"用英语怎么说？

足球迷：a soccer fan
♣ 你能用"迷"组成几个短语吗？

核电站：nuclear power plant

♣ 读一读，弄懂它们的意思：
　足球场　场地　场内　场外
　场中央　前场　中场　后场

体育馆：gymnasium

满的。7点差5分，比赛就要开始了。

"快到时间了，运动员怎么还坐在看台上闲聊天？"我旁边的一位阿姨不满地说。

真的，双方运动员们占据了主席台旁边最好的座位，好像他们也全是观众似的。

爷爷穿着核电站3号运动员服，也坐在那儿。他们每人头上都戴着一顶奇怪的帽子，帽子上还伸出几根长长的触角。

"观众同志们，"7点整，体育馆的广播响了起来。"今天晚上的比赛，由机器人来进行。每一个运动员独自控制一个机器人，所以仍旧能够表现出每个运动员的技巧和风格……"

话没说完，全场轰动了起来。在一万多名观众的笑声、议论声和鼓掌声中，响起了运动员进行曲。只见两队排得整整齐齐的机器人，迈着不快不慢的步子，走进场地来了。

"真是一举两得的好办法！"爸爸对我说，"既进行了足球赛，又试用了这两家工厂新造的机器人。"

"工厂里要机器人干什么？"我好奇地问。

看台: bleachers; stands

不满: dissatisfied; unhappy

★ 为什么运动员们还坐在那儿闲聊天?

主席台: rostrum; platform

触角: antenna

★ 你知道"触角"在这里的意思吗?

机器人: robot

风格: style

轰动: cause a sensation

进行曲: march

一举两得: shoot two birds with one arrow

试用: subject sth. to trial; try out

103

"让机器人来代替人工作呀！"爸爸回答。

"那工人叔叔干什么呢？"我问道。

"工人叔叔指挥机器人。另外，还可以腾出手来做更复杂的工作。"

这时，球赛进入了高潮。核电站队5号机器人带球通过球场中央，飞起一脚，把球传给了3号。3号机器人灵巧而准确地用头一顶，竟从20米外把球顶入球门。

"1∶0！"全场欢呼起来，我也一个劲儿地鼓掌。

最后，比赛以2∶1结束。核电站队胜了。观众高兴地站起来，欢呼、鼓掌，把一顶顶的帽子往上扔……突然，核电站队2号机器人直挺挺地倒在地上，不动了。

全场立刻鸦雀无声。所有的人全愣住了。

只过了半分钟，钢铁队运动员和核电站队运动员都大笑起来。原来是核电站队2号运动员太兴奋了，一高兴，竟把自己头上的帽子也扔了起来。这是遥控帽子呀！怎么能随便扔呢？

腾：relieve; empty

高潮：climax

★ 你能说出"高潮"的反义词吗?

鸦雀无声：silence reigns — not a crow or sparrow can be heard

遥控：remote control; telecontrol

这真是一场既新奇又有趣的足球赛。

★为什么球员的帽子不能随便扔?

（本文作者王汶、迟文，有删节）

腾　　　新奇　　看台　　不满　　触角　　风格
轰动　　试用　　高潮　　遥控　　足球迷　　核电站
体育馆　　主席台　　机器人　　进行曲　　一举两得
鸦雀无声

找声音

足球比赛正在进行,场上一个球迷不停地喊叫。比赛结束时,他哑着嗓子对旁边的人说:"我的嗓子好像没有声音了。"那个人回答:"你应该到我的耳朵里来找。"

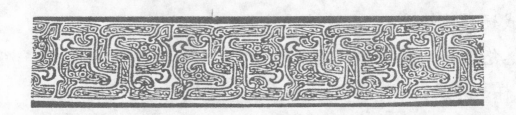

"哈——哈——"他笑了起来，"这里是'太空医院'。"

29 太空医院

太空：the outer space

医院：hospital

　　当我醒来的时候，已经身处在一个奇异的环境里了。我不安地躺着，断断续续地回忆起发生的一切。

奇异：strange; singular

★结合下文想一想，"我"为什么会置身在这个奇异的环境里呢?

　　昨天，也许是今天上午吧，我工作的加油站着了火。我赶紧冲进去救火，只听得"轰"的一声，以后我就什么都不知道了……

加油站：filling (petrol) station

　　我努力想再回忆起一些事情来。可是我渴得厉害，想呼喊。说也奇怪，天花板上的一只瓶子慢慢转动着，从里边钻出一根细长的塑料管，朝我嘴里伸来。顿时，一股清水流进我的嘴里，我感到浑身舒服。

天花板：ceiling

　　这时，我听到一个温和的声音："别动，你的伤口还没长好呢！"

　　我疑惑地转过头，一个白衣大夫飘飘悠悠地移到我身边。他笑着说："怎么样，疼吗?"

飘飘悠悠：drift lightly

　　"不疼，我想起床看一看。"

"你现在不能起床，如果觉得不舒服就想着翻个身吧。如果你要朝哪个方向翻，只要想一下就可以了。"

为了跟他讲话方便些，我想朝左边翻个身。真奇怪，我刚想完，忽然有一股神奇的力量，把我推了一下，我很容易地转了过去。

"请问，这里到底是什么地方？"我迷惑地问。

"哈——哈——"他笑了起来，"这里是'太空医院'。"

"什么，难道我不是在地球上吗？"我诧异地问。心想，难怪他走路那副模样。他笑了笑，没有回答就出去了。

我向四周看着，眼前的景象让我大吃一惊。原来我并不是躺在床上，而是被几根丝捆住四肢，直挺挺地挂在空中。这时，我才真的相信，我的确是在太空医院里，这里没有地球的吸引力，一切东西都失去重量，会在空中飘着。

我正想着，那股神奇的力量又推了我一下。这是怎么回事？我可没有想过翻身呀？正想着，只觉得胳膊给什么东西刺了一下。我掉过头一看，

❖ 读一读这几个句子，然后用"方便"造句：

这件事做起来很方便。

这没有什么不方便的。

这恐怕有点儿不方便吧。

★ "他"那副"模样"指的是什么模样？

吸引力: gravitation; attraction

原来从天花板上的另一只小瓶里伸出一根注射器，正在给我打针呢。

当我又一次醒来的时候，那个白衣大夫已经站在我的身边。他手里拿着一把特殊的小刀，在我面前晃了一下，说："不要怕，不疼的。"说着，轻轻地从上到下划了一刀。

"你现在可以把身上这层保护膜（mó）撕（sī）掉了。"他指指我胸前。我低头一看，哈，被刀划破的地方，像解开了钮（niǔ）扣的衣服一样，敞（chǎng）开着。

"大夫，这是什么东西？"我把脱下来的"衣服"递给他时问。

"这是在抢救的时候，给你涂的保护膜。这东西不仅能防止细菌（jūn）感染，而且能促使新皮肤尽快生长……"

说着，他又拿来一套干净衣裤，"你进医院五天了，根据你的情况可以出院了。"

这时候，广播告诉我们，来自地球的交通飞船，马上就要到了，叫回地球的人做好准备。

播音刚完，在医院花园的一边，打开了一扇圆形的门。白衣大夫拉住

注射器：syringe; injector

打针：inject; have an injection

膜：film; membrane

❖比较"膜""模"，组词。

撕：tear; rip

钮扣：button

敞开：open wide

抢救：rescue; save

细菌：bacterium; germ

感染：infection

促使：impel; urge

飞船：airship; spaceship

圆形：round; circular

我的手，一直把我送到门口。

★ 设想一下，在太空医院治病有什么好处？

（本文作者王亚法，有删节）

膜					撕				钮				
敞					菌								

膜　　撕　　太空　　医院　　奇异　　打针

钮扣　　敞开　　抢救　　细菌　　感染　　促使

飞船　　圆形　　加油站　　天花板　　吸引力

注射器　　飘飘悠悠

笑一笑

看　病

有一位病人肚子疼，请大夫给他开些药。大夫问："你今天吃过什么东西？"病人说："吃过一块发霉（méi, go mouldy）的蛋糕。"大夫就给病人开了一瓶眼药水（eyedrops）。病人说："我是肚子疼，你给我开眼药水干什么？"大夫说："没错，如果你的眼睛是好的，怎么会吃发霉的蛋糕呢？"

只见可视电话里的那个"人"牙齿漆(qī)黑，身上长着一对翅膀，有四只脚，头上戴着装有天线的帽子。

可视电话：	videophone
漆黑：	pitch-black

30 我和外星人

外星人： people in other celestial bodies

"嘀铃铃……"电话铃响了。我一下子从床上跳起来，抓起话筒(tǒng)："喂，是谁？这么早，有什么事？"我一面说话，一面向可视电话看去。这一看可把我吓了一跳！只见可视电话里的那个"人"牙齿漆黑，身上长着一对翅膀，有四只脚，头上戴着装有天线的帽子。这根本不是人，简直是一个怪物！"怪物"的旁边还有一个飞碟(dié)。

话筒： telephone transmitter

只见那"人"回答道："别怕，我是外星人，专程到地球上来玩的。我和宇宙旅游中心联系，他们介绍我找你做导游。请你来机场接我吧！""噢，你是天外来客，欢迎，欢迎，我马上就到！"我高兴地说。

我穿好衣服，将变色皮包提在手里，领着小机器人，一阵风似的跑下

飞碟： flying saucer; unidentified flying object(UFO)

♣ 用英语翻译"宇宙旅游中心"。

联系： contact

天外来客： guests from other celestial bodies

变色： change color

皮包： portfolio; briefcase

了楼梯。

外星人见到我们以后说："这么快就到了，真想不到。"我说："你瞧，这是高速飞行汽车，既可以在陆地上跑，又可以在天空中飞，还可以在水上行走呢。"外星人听了，十分佩服。

高速：high speed

过了一会儿，他忽然惊奇地说："你们地球人可真不怕冷，冬天还穿这么薄的衣服！"我说："不，我的身上可暖和呢。我们的衣服十分科学，即使只穿一件衬(chèn)衣，也很暖和。不信，你试一试。"说完，我从包里拿出一件很薄的绿衣服，给外星人穿上。外星人顿时觉得轻松而暖和。

暖和：warm

衬衣：shirt

♣用"顿时"造句。

外星人看了看我手里的皮包，羡慕地说："你的皮包真漂亮，和你衣服的颜色一样，都是红的，真有趣！"我把皮包递给他看，他一接到手，皮包就变成了绿色。他惊奇地说："奇怪，怎么又变成了绿色？大概是你在玩什么花样吧？"我说："这叫做自动变色皮包，你的衣服是什么颜色，它就会自动变成什么颜色。"外星人说："真新鲜，这东西我可从来没有见过！"

玩花样：play tricks

★外星人为什么认为"我"玩花样？

自动：automatic

♣用"新鲜"造两个句子。

我们坐上汽车往回走。外星人说："这小汽车真舒服。你说说看，如

111

果要起飞，该怎么发动呢？"我向小机器人打了个手势，小机器人明白了。他跑到汽车电视面前，把电钮一按，喊了声"飞"，小汽车便慢慢地伸开翅膀，"呼呼"地飞了起来。

……

我领着外星人游览了地球上的很多地方，每到一处，外星人总感到十分惊奇，十分新鲜。

过了几天，外星人的地球旅行圆满结束，他恋恋不舍地向我和小机器人告别。他真诚地对我说："这次到地球上来，增长了许多知识。回去以后，我要把看到的一切告诉我们那里的人，加深我们对地球人的了解，增进我们的友谊。我们也欢迎你们到我们那儿做客。"

（本文选自《中级汉语精读教程》，有删节）

打手势：gesticulate; gesture

电钮：push button

圆满：satisfactory

★ "恋恋不舍"地告别说明了什么？

真诚：sincere

增进：promote; enhance

友谊：friendship

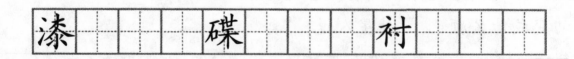

漆黑　　话筒　　飞碟　　联系　　变色　　皮包
高速　　暖和　　衬衣　　自动　　电钮　　圆满
真诚　　增进　　友谊　　外星人　　玩花样
打手势　　可视电话　　天外来客

跳　伞

有一个人晚上跳伞。为了避免在空中和别人相撞，他把身上挂满了红色和绿色的闪光灯。突然，前边一处灯火通明，他一下子跳了下去。降落后，他看见一个女人站在那里直发抖，连忙问道："请问，这是什么地方？"妇人颤抖着回答："地球。"

海是什么颜色的？

提出这个问题，估(gū)计多数人会回答：蓝的。

什么蓝？怎样的蓝？一定是蓝色吗？

海是什么颜色的？

提出这个问题，估(gū)计多数人会回答：蓝的。

什么蓝？怎样的蓝？一定是蓝色吗？

31 海的颜色

海是什么颜色的？

提出这个问题，估计多数人会回答：蓝的。

什么蓝？怎样的蓝？一定是蓝色吗？

例如在渤(bó)海(the Bohai sea)湾，我就没有获得过蓝海的感受。不论在大连、北戴河还是烟台，我看到的海基本上是草绿色的。阴雨天，海是灰蒙蒙的，天与海的色彩最为接近，很难分清哪是天哪是海。浅海处常见黄褐(hè)色，可能是因为那里的沙滩是金黄色的缘故。浅海处因为涨潮退潮，因为风浪，因为游泳的人跑来跑去，把沙翻上来，便黄了，而遇到大风浪，便成了黄褐色。风浪特别大的时候，表面是白色的浪花，往下是黄褐色的海，颜色非常分明。

估计：estimate

★你见过大海吗？在你的印象里，海是什么颜色？

灰蒙蒙：dusky

黄褐色：yellowish-brown

涨潮：flood tide

✤你能猜出"退潮"的意思吗？

风浪：stormy waves

表面：surface; outside

渤海的颜色令人觉得温暖，亲切，随和，让人愿意接近。

1982年底1983年初我去南海(the Nanhai sea)，到过西沙群岛(the Xisha Islands。那里的海完全不同，那是深深的湛(zhàn)蓝色，阳光下映出一片金色的光辉。飞鱼在海面上飞行，军舰在海面上行驶，浪花庄严无声。海的颜色神秘而又伟大。人们说这种颜色是由于海非常深。这里的海确实非常深，不能见底。这深深的蓝色令人肃然起敬。

我觉得这才是真正的本色的海。

1987年我去意大利(Italy)西西里岛，有机会几次下海游水。海滩的沙子全是白色的,海水则是纯(chún)净的天蓝，晶莹(yíng)而明亮。在这样的水里游泳，可以隔着海水看到海底白沙的一切形状，似乎比不隔水（即通过空气）还看得清楚。只是游到深处的时候，往下一看，一片漆黑，漆黑中似乎有几根乱草在水中浮动，不由得让人汗毛倒竖。

1989年春季去法国，参加那一年的电影节，顺便看了看摩纳(nà)哥(Monaco)这个小国的风光。那儿的海

温暖：warm

★ 想一想，渤海的颜色为什么会让作者有这样的感觉？

湛蓝色：azure blue
军舰：warship

肃然起敬：be filled with deep veneration

本色：real; true

★ 作者认为真正的本色的海是什么样的？

纯净：pure
晶莹：sparkling and crystal-clear

汗毛倒竖：with one's hair standing on end — absolutely terrified
顺便：in passing; by the way

也是天蓝的，但似乎比西西里岛附近的海颜色深一些。

不管海是什么颜色，用手捧起来，却都是无色透明的，似乎这个海那个海与湖泊与江河并无区别。都是水，都是 H_2O 嘛。溶化了的盐也是没有颜色的。浪花又都那么白，白得叫人心醉。

（本文选自《汉语趣读》，有改动）

| 估 | | | | 褐 | | | | 湛 | | | |
| 纯 | | | | 莹 | | | | | | | |

估计　　涨潮　　风浪　　表面　　温暖　　军舰
本色　　纯净　　晶莹　　顺便　　灰蒙蒙
黄褐色　　湛蓝色　　肃然起敬　　汗毛倒竖

想一想

望洋兴叹

有一年，一连下了几天大雨，黄河的水涨得很高。这时，黄河中的神河伯高兴起来，以为自己非常了不起。于是他顺着流水往东去，一直来到了北海。这是它第一次见到大海。它走进大海，往前一看，只见天连着水，一望无际；往后一看，又是水连着天，无边无际。看到这种景象，河伯非常惊讶、惭愧。后来，人们就用"望洋兴叹"来概括这个故事，意思是在伟大的事物面前感叹自己的渺小；现在用来比喻想做某件事，因不能做到而无可奈何。

海底真是个神奇美丽、物产丰富的世界。

物产：products

 32　海底世界

你可知道，大海深处是什么样的吗？

❦试着推测一下"海底""海面"的意思。

海面上波涛汹（xiōng）涌、浪花飞舞的时候，海底却是非常宁静的。最大的风浪，也只能影响到海面以下几十米深的地方，再往下，就是平静的海水了。海底不仅很宁静，而且非常非常黑。因为阳光射不到海底，水越深光线越暗，500米以下就全黑了。在这一片黑暗的深海里，却有许多光点像闪烁的星星，在水底下动来动去，那是能够发光的深水鱼在游动。

汹涌：surging; turbulent

★海底为什么很黑很宁静？

海底是否没有一点儿声音呢？不是的。海底的动物常常在窃（qiè）窃私语。你用水中听音器一听，就能听见各种各样的声音：有的像蜜蜂一样嗡（wēng）嗡地响，有的像小鸟一样啾（jiū）啾地唱，有的像小狗一样汪（wāng）汪地叫……不仅如此，这些海

是否：if; whether

窃窃私语：whisper

❦"如此"可以用什么词替换？

底动物在不同的时候还能发出不同的声音：它们吃东西的时候发出一种声音，行进的时候发出另一种声音，遇到危险还会发出警报，向自己的同伴传递信息。

海里的动物，已经知道的大约有三万多种。它们各有各的活动方法。海参[shēn]靠肌肉伸缩爬着往前行走，行走的速度很慢，每小时大约只能前进四米。有一种鱼身体像梭（suō）子，每小时能游几十公里，攻击其他动物的时候，比普通的火车还要快。乌贼（zéi）和章鱼能突然向前方喷水，利用水的反作用力迅速往后退。还有些贝类自己不动，却能巴在轮船底下，轮船走到哪儿它们跟着走到哪儿，既省力又不用花钱，好像在做免费的长途旅行。

海底有山，有峡谷，也有森林和草地。植物的色彩多种多样：有褐色的，有紫色的，还有红色的。最小的海藻（zǎo），普通的人的眼睛根本看不见，要用显微镜才能看得清楚。最大的海藻长达二三百米，是地球上最长的生物。

海底蕴（yùn）藏着丰富的煤（méi）、

行进：march forward; advance

警报：alarm

传递：transmit; deliver

伸缩：stretch out and draw back

梭子：shuttle

♣写出与"梭"形体相近的字。

普通：ordinary; common

反作用力：reacting force

巴：cling to; stick to

免费：be free of charge; free

长途：long-distance

峡谷：canyon; gorge

海藻：marine alga; seaweed

显微镜：microscope

蕴藏：contain; hold in store

煤：coal

铁、石油等有用的资源，还有陆地上蕴藏量很少的稀有金属。

海底真是个神奇美丽、物产丰富的世界。

稀有：rare; unusual

★ 你能说出海底都有哪些资源吗？

汹					窃				梭				
贼					藻				蕴				
煤													

巴	煤	物产	汹涌	是否	行进
警报	传递	伸缩	梭子	普通	免费
长途	峡谷	海藻	蕴藏	稀有	显微镜
窃窃私语		反作用力			

猜一猜

远看连着天，
近看浪一片。
肚里藏百宝，
船行它上面。

（打一自然现象）

颜色是用来装饰（shì）各种物品的，它有什么力量呢？它怎么会有力量呢？

装饰：decorate; embellish

物品：article; goods

33　颜色的力量

看了这个题目，你一定会觉得很奇怪：颜色是用来装饰各种物品的，它有什么力量呢？它怎么会有力量呢？

♣用"怎么"造句。

我说，颜色确实是有力量的。你不信吗？我先给你讲一件事吧！

200多年前，美国有个科学家，叫富兰克林。

一个冬天的早晨，天空晴朗，阳光灿烂。富兰克林拿着一个小包裹，来到一片雪地上。这里的雪厚厚的，很干净。富兰克林把小包打开。啊！里边有这么多小绒布啊！红的、粉红的、深蓝的、浅绿的、白的、黑的……好多种颜色呢。

包裹：package

绒布：flannelette

他这是要干什么呢？

原来，他正在做一个有趣的试验。他早就注意到，各种不同颜色的物体，反射和吸收阳光的能力是不同的。他做这个试验，就是为了了解哪一种颜色反射阳光的能力最强，哪一种颜色吸收阳光的力量最强。于是，他把一块块绒布平铺在雪地上，等在那里进行仔细的观察。

结果怎么样呢？

富兰克林发现：黑色绒布下面的雪融化得最快；深褐色和暗红色绒布下面的雪融化得比较快；颜色越浅的绒布，下面的雪化得越慢；白色绒布下面的雪，几乎没有融化。

这个有趣的试验说明：黑色吸收阳光最多，反射最少；白色吸收阳光最少，反射最多。

于是，人们利用颜色的这个特性来改变环境，并且把它用到生产和日常生活中去。

你看，夏天，人们总是爱穿白色或者浅色的衣服，冬天总是穿黑色或者深色的衣服。

南方，有许多房屋的墙漆成浅色的；而北方呢，恰恰相反，有很多房屋的墙漆成深灰色。

远航的装油用的船，船身一般都漆成白色，甲板漆成浅色。

物体：object; substance

反射：reflect

吸收：absorb

平铺：spread sth. out smoothly

★富兰克林是用什么做的试验？

他想通过试验说明什么？

利用：use; make use of

特性：specific characteristic

漆：paint

恰恰相反：just the opposite; exactly the reverse

远航：long voyage

✿你能说出"船身"的意思吗？

121

还有，人们为了使道路上的积雪快些化掉，常常在雪上铺一层煤灰。

这些事都证明了颜色确实是有力量的。如果你有兴趣的话，留心观察周围的事物，你一定能够发现，颜色在许多地方发挥着它的作用。

煤灰：coal cinder

发挥：bring into play

★ 你发现颜色在哪些地方发挥作用了呢？跟同学们说一说。

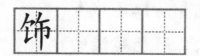

漆	装饰	物品	包裹	绒布	物体
反射	吸收	平铺	利用	特性	远航
煤灰	发挥	恰恰相反			

珍珍和妈妈一起吃饭。妈妈见珍珍吃完鱼肉吃鸡肉，就是不吃菠(bō)菜(spinach)，便说道："珍珍，不能光吃肉，吃点儿菠菜吧，那样你的脸就会有颜色，看起来会更漂亮。"

珍珍听了，不高兴地说："谁喜欢绿脸蛋儿(cheeks)的姑娘！我才不吃呢！"

这些可爱的小东西，身上毛茸茸的，眼睛亮亮的，总是那么讨人喜欢。

 ## 34 我所熟悉的小猫

猫，大家都非常熟悉。我家先后养了几次小猫，我对它们也很熟悉。这些可爱的小东西，身上毛茸茸的，眼睛亮亮的，总是那么讨人喜欢。

它们身上长着一层厚厚的毛，使它们的身体永远像穿着皮衣那样暖和。它们毛的颜色各种各样，总的来说白色最让人喜欢。两只眼睛像宝石那么明亮，特别是在黑夜里，瞳(tóng)孔里闪着蓝光，把一切都看得清清楚楚的。最有趣的是它们那一双耳朵，白天一般都耷(dā)拉着，一点也不灵巧。可是一到夜里，如果听到什么声音，即使是很小很轻的声音，它们也会立刻把耳朵竖起来，四处去寻找目标。如果真的找到了目标——老鼠，它们便一下子扑上去，毫不犹豫。也许有人会问："如果老鼠钻进洞里，

★ 你能说说猫有哪些讨人喜欢的地方吗？

皮衣：fur clothing

宝石：gemstone; gem

瞳孔：pupil of the eye

♣ 你能用"目"组成什么字？

耷拉：droop; hang down

目标：target; goal

那猫应该怎么应 [yìng] 付呢?"是啊,这时小猫应该怎么办呢?

这时,小猫就要靠它的胡子来发挥作用了。当老鼠跑进洞里的时候,小猫总是先用它的胡子来量一量洞口:如果胡子的长度小于洞口的直径,洞里的老鼠就没命了;如果胡子的长度大于洞口的直径时,小猫就会对老鼠无可奈何。但是,如果碰到有经验的老猫,它们也会有绝招对付老鼠。它们守在洞口,每天都要对着洞口叫几声,吓得老鼠不敢出来。这样反复十天半月,任凭洞里的老鼠有多大能耐,也只好饿死或渴死了。

有人说:"猫非常懒,白天总是睡觉。"我认为这话不对。猫虽然白天没有精神,总是趴在一个地方,但这并不是它懒,而是受到外界影响的结果。白天,阳光的照射太强烈。在强光的刺激下,猫的眼睛不能完全睁开,只能眯成一条小缝,几乎看不见东西,所以只好睡觉。但是到了夜晚,猫的瞳孔变得又大又圆,再加上它那灵敏的听觉,那老鼠可就不敢轻易活动了。

猫是一种可爱、温顺的小动物。

应付: deal with; handle

长度: length
直径: diameter

绝招: unique skill
★老猫有什么绝招呢?

能耐: ability

强烈: strong; intense
刺激: stimulate

灵敏: sensitive
听觉: sense of hearing
温顺: docile; tame

现在，很多人都喜欢养猫，不是为了捉老鼠，而是把猫当做自己的宠(chǒng)物，自己的朋友。毛茸茸的大白猫，灵巧的小黑猫，逗人喜爱的小花猫……只要你喜欢它们，把它们当做你的朋友，它们就会接近你，喜欢你，成为你最好的朋友。

（本文作者孙海洋，有改动）

宠物：pet

★ 现在人们养猫主要是为什么？

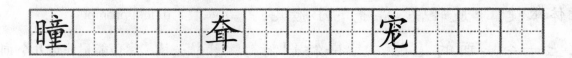

瞳				奔				宠			

皮衣　　宝石　　瞳孔　　奔拉　　目标　　应付
长度　　直径　　绝招　　能耐　　强烈　　刺激
灵敏　　听觉　　温顺　　宠物

猜一猜

胡子不多两边翘，
开口总说妙妙妙。
黑夜巡逻(xún luó, go on patrol)眼似灯，
白天喜欢睡懒觉。

（打一动物）

125

松鼠是一种漂亮的小动物，驯（xùn）良，灵巧，很讨人喜欢。

驯良：docile; gentle

35 松 鼠

松鼠是一种漂亮的小动物，驯良，灵巧，很讨人喜欢。

★松鼠的漂亮表现在哪些地方？

它们面容漂亮，眼睛闪闪有光，身体敏捷，四肢轻快。漂亮的小脸儿，配上一条美丽的尾巴，显得特别好看。尾巴老是翘起来，一直翘到头上，身子就躲在尾巴底下。它们常常直竖着身子坐着，像人们用手一样，用前边的爪（zhǎ）子往嘴里送东西吃。可以说，松鼠最不像四只脚的野兽了。

面容：facial feature; look

敏捷：quick; prompt

❖读一读，尽可能记住这几个词：

灵敏　敏感　敏捷

轻快：brisk

爪子：claw; pawn

野兽：wild beast; wild animal

松鼠不藏在地底下，经常在高处活动，像鸟类似的住在树上，满树林里跑，从这棵树跳到那棵树。它们在树上做窝，摘果实，喝露水，只有树被风刮得太厉害了，才到地上来。在田野里，在平原地区，是找不到松鼠的。它们从来不接近人的住宅，也不呆在小树丛里，只喜欢大的树林，住在高大的树上。在晴朗的夏天的夜里，

露水：dew

可以听到松鼠在树上跳着叫着，互相追逐的声音。它们好像很怕强烈的阳光，白天躲在窝里，晚上出来练跑，玩耍，吃东西。它们虽然也捕捉鸟雀，却不是吃肉的兽类动物，常吃的是松子、榛(zhēn)子等食物。

松鼠不敢下水。有人说，松鼠过河的时候，用一块树皮当船，用自己的尾巴当帆和舵(duò)。松鼠十分警觉，只要有人稍微在树上动一动，它们就从窝里跑出来，躲在树枝底下，或者逃到别的树上去。松鼠跑跳轻快极了，总是小跳着前进，有时也连蹦带跳。它们的爪子是那样锐(ruì)利，动作是那样敏捷，一棵很光滑的大树，一转眼就爬上去了。

松鼠的窝通常搭在树枝分叉(chà)的地方，又干净又暖和。它们搭窝的时候，先搬些小木片，纵横交错地放在一起，再用一些干苔藓(xiǎn)编起来。它们可以带着儿女住在里面，既舒适又安全。窝口朝上，端端正正，很窄，勉强可以进出；窝口上有一个圆锥(zhuī)形的盖儿，把整个窝遮挡住，可以使雨水向四周流去，不落在窝里。

松鼠的毛是灰褐色的，过了冬就

✤用"烈"组几个词语。

捕捉：catch

榛子：hazelnut

舵：rudder; helm

警觉：vigilant; alert

✤读一读：

连蹦带跳　连说带笑　连老带小

连吃带喝　连滚带爬

锐利：sharp; keen

分叉：branching; branch

纵横交错：crisscross

苔藓：moss

端端正正：straight

圆锥形：circular cone

★松鼠窝的盖儿做成什么形状的？为什么？

换毛，新换的毛比脱落的毛颜色深些。它们用爪子和牙齿梳理自己的毛，弄得身上光溜溜的，干干净净的。

❀我们学过"滴溜溜""圆溜溜""滑溜溜"，你能知道"光溜溜"的意思吗?

（本文作者布封，有改动）

驯				爪			榛		
舵				锐			叉		
藓				锥					

舵　　　驯良　　　面容　　　敏捷　　　轻快　　　爪子

野兽　　露水　　捕捉　　榛子　　警觉　　锐利

分叉　　苔藓　　圆锥形　　纵横交错　　端端正正

背一背

鹿柴①

王维

空山不见人，
但闻人语声。
返景入深林②，
复照青苔上。

————————

① [鹿柴] 诗人的一处住宅。

② [返景入深林] 返照的日光斜射进
深深的树林。景，日光。

筷子是手指的延长，能代替手指夹各种食物，而且不怕烫，不怕冷，真是高明极了。

延长：extension

36 筷　子

筷子和刀叉 [chā] 是世界上两类最普通的吃饭用具。

刀叉：knife and fork

西方人习惯使用刀子和叉子，中国人和东方许多国家的人都习惯使用筷子。中国人用筷子有很悠久的历史。据说西方人使用刀叉有二百多年的历史，中国人从开始用筷子到现在已经有三千多年了。

❀用"习惯"造句。

筷子虽然只是两根小棍儿，看起来简单，用起来却非常方便、灵活。比如吃面条吧，如果只用一把叉子，就很难一下子把面条挑起来送进嘴里，必须请勺子或刀子来帮忙，两只手也要同时用上。可是用筷子，只需要这两根小棍儿一只手，就可以很容易地把面条夹起来了。

面条：noodle

★你能举一个用筷子方便、灵活的例子吗？

很多外国朋友来中国以后，也很欣赏筷子，觉得这种用具很有意思。

他们看中国人用筷子，就像魔(mó)术师拿着他们手中的道具一样，一会儿这个盘子，一会儿那个碗，一会儿夹菜，一会儿又把饭送进了嘴里，用起来灵活自如。他们也常常学着中国人用筷子吃饭，但筷子在他们手里，就好像任性的孩子，一点儿也不听使唤。虽然不听使唤，但很多外国朋友仍然坚持使用，甚至认为到中国而没学会用筷子是一种遗憾。有人还开玩笑说："我没有什么别的爱好，就是爱吃中国菜，就是爱用中国筷子。中国菜配上中国筷子，再把筷子用得自如些，吃着该多有意思啊！"

中国人的筷子，看着简单、随意，在人类文明史上却是一件值得骄傲的发明。有一位著名的物理学家说："筷子这样简单的两根小棍儿，却巧妙地应用了物理学上的有关原理。筷子是手指的延长，能代替手指夹各种食物，而且不怕烫，不怕冷，真是高明极了。"

在日本，有人做过这样的试验，检查在使用筷子时肌肉活动的情况。他们发现：人们在使用筷子时，手和臂的各个关节和肌肉都在活动；这些

魔术师: magician

道具: prop; stage property

★ 为什么外国朋友看中国人拿筷子就像魔术师手中拿的道具?

自如: freely; with facility

使唤: order about

随意: as one pleases; as one likes

♣ 用"值得"造句。

物理学家: physicist

应用: apply; put to use

物理学: physics

原理: principle

关节: joint; articulation

 130

关节和肌肉，又和大脑神经有联系。因此，他们得出结论：使用筷子对大脑也是一种很好的锻炼。从这个结论出发，一些生理学家呼吁(yù)，要让孩子们早些锻炼使用筷子。他们认为，孩子们从小就学会使用筷子，可能会更心灵手巧，他们的大脑会更加聪明。

神经：nerve

结论：conclusion

生理学家：physiologist

呼吁：appeal; call on

心灵手巧：clever and deft

★为什么说早些学会使用筷子会让孩子更加聪明?

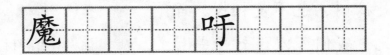

延长　　刀叉　　面条　　道具　　自如　　使唤

随意　　应用　　原理　　关节　　神经　　结论

呼吁　　魔术师　　物理学　　物理学家　　生理学家

心灵手巧

猜一猜

姐妹两人一样高，
出出进进总成双。
多少苦辣酸甜味，
先请它们尝一尝。

(打一生活用具)

在植物中最坚硬的是什么呢？
不是松树，也不是柏树，而是竹子。

坚硬：hard; solid

37 植物中的钢铁

　　一般人都知道钢铁是最坚硬的物质，这是就金属来说的。那么植物的情况怎么样呢？在植物中最坚硬的是什么呢？不是松树，也不是柏树，而是竹子。因此，我们可以说竹子是植物中的钢铁。

　　竹子不仅像钢铁那样非常坚硬，而且用处比钢铁可能还要多一些。

　　中国南方到处可见又高又翠的竹子，一大片一大片的；到处可以看到用竹子做的用具，家具、车子、小船、小桥，做得小巧而实用。至于用竹子做的凉席、鞋子、纸等等，就更不用说了。中国的傣家人专门用竹子建造自己的房屋，称它为竹楼，夏天凉爽，冬天又很暖和。最近几年，有些现代化的大建筑居然也可以用竹子代替一部分钢筋，可见其不仅坚硬而且很有韧(rèn)性。这些年，出土的坟墓中挖

物质：matter; substance

❀读一读，写出你所知道的有关树的汉语名称：

　松树　柳树　桂树　柏树

　桃树　白桦树

★为什么说竹子是植物中的钢铁？

家具：furniture

❀用"至于"造句。

凉席：summer sleeping mat

★说出几种用竹子做的用具。

现代化：modernize

钢筋：reinforcing bar; corrugated steel bar

韧性：toughness; tenacity

出了不少用竹子做的各种用具，虽然已经埋在地下多年，仍然保存得很好。这就更可以证明：竹子不仅有上边的那些优点，而且还不容易腐烂。

竹子不只生长在南方，在北方也能生长。特别是在北方的公园，种上一大片竹林，夏天遮挡阳光，冬天依然很青翠，很有点儿南方的风味。

竹子和松树、梅花，并称"岁寒三友"。它们不怕寒冷，虽然历经严寒，竹子和松树仍然青翠如初，不改其本色；虽然身处严寒，梅花却依然怒放枝头。因此，古人为了赞美这三种植物，给它们起了一个漂亮亲切的名字，叫做"岁寒三友"。中国诗人常常用诗歌赞美松、竹、梅这三个朋友，中国画家常常把它们当做画画儿的对象，由此可见人们对它们的喜爱。

在松、竹、梅这三种植物中，可能有人喜爱松树，有人喜爱梅花，而不少人最喜爱的还是竹子。因为种松树要占很大的地方，种梅花需要细心管理，比较起来，竹子更平易近人。屋前屋后，只要有一点点土地，就可以种下自己喜爱的竹子。你不用特别地照顾它，它就可以生长得很茂盛，并

保存: keep; preserve

不只: not only

怒放: in full bloom

★ 你能说说为什么叫它们"岁寒三友"吗?

喜爱: like; be fond of

管理: look after

平易近人: amiable and easy of approach

茂盛: luxuriant; exuberant

且一年到头陪伴着你，从来不改变它那青翠的颜色。特别让人感动的是，它不但供给 [gōng jǐ] 你生活中的各种用具，而且年年生笋给你吃。竹子为人类，可以说是贡(gòng)献出了自己的一切。

♣ 用"从来"造句。

供给：supply; provide

贡献：devote; contribute

★ 为什么说竹子为人类贡献出了自己的一切？

韧				贡			

坚硬　　　物质　　　家具　　　凉席　　　钢筋　　　韧性
保存　　　不只　　　怒放　　　喜爱　　　管理　　　茂盛
供给　　　贡献　　　现代化　　　平易近人

笑一笑

什么东西最硬

　　两个人一起谈论世界上什么东西最硬。一个说："石头和铁最硬。"

　　另一个说："石头可以打碎，铁上能够刻字，怎么算最硬呢？我看，应该是老兄你的胡子最硬。"

　　那个人摸摸自己的胡子问："为什么？"

　　没有胡子的人说："你想，老兄这么厚的脸皮，胡子都能钻出来，不是比铁石更硬吗？"

　　有胡子的人马上说："这样看来，老弟的脸皮更厚，所以一点儿胡子都钻不出来。"

我们看太阳,觉得它并不大,实际上它大得很,一百三十万个地球才能抵得上一个太阳。因为太阳离地球太远了,所以看上去只有一个盘子那么大。

38 太　阳

有这么一个传说:古时候,天上有十个太阳,晒得地面寸草不生。人们热得受不了,就找了一个箭法很好的人射掉九个,只留下一个,地面上才不那么热了。

其实,太阳离我们有一亿五千万公里远。到太阳上去,如果步行,日夜不停地走,差不多要走三千五百年;就是坐飞机,也要飞二十几年。这么远,箭哪能射得到呢?

我们看太阳,觉得它并不大,实际上它大得很,一百三十万个地球才能抵得上一个太阳。因为太阳离地球太远了,所以看上去只有一个盘子那么大。

太阳会发光,会发热,是个大火

球。太阳的温度很高，表面温度有六千摄氏度，就是钢铁碰到它，也会变成汽。中心温度更高，估计是表面温度的三千倍。

太阳虽然离我们很远很远，但是它和我们的关系非常密切。有了太阳，地球上的庄稼和树木才能发芽、长叶、开花、结果；鸟、兽、虫、鱼才能生存、繁殖(zhí)。如果没有太阳，地球上就不会有植物，也不会有动物。我们吃的粮食、蔬菜、水果、肉类，穿的棉、麻、毛、丝，烧的柴火，都和太阳有密切的关系。埋在地下的煤炭(tàn)，看起来好像跟太阳没有关系，其实离开太阳也不能形成。因为煤炭是由远古时代的植物埋在地层底下变成的。

地面上的水被太阳晒着的时候，吸收了热，变成了水蒸气。水蒸气遇到冷，凝成了无数的小水珠，漂浮在空中，变成云。云里的小水珠越聚越多，就变成雨或雪落下来。

太阳晒着地面，有些地区吸收的热量多，那里的空气就比较热；有些地区吸收的热量少，那里的空气就比较冷。空气有冷有热，才能流动，就

温度：temperature

摄氏度：Celsius degree

繁殖：breed; reproduce

❧写出几个与"殖"形体相近的字。

柴火：firewood

煤炭：coal

★为什么说离开太阳煤炭也不能
　形成呢?

地层：stratum; layer

水蒸气：water vapour

凝成：congeal; coagulate

热量：quantity of heat

形成了风。

太阳光还有杀菌的能力，我们可以利用它来预防和治疗疾病。

地球上的光明和温暖，都是太阳送来的。如果没有太阳，地球上将到处是黑暗，到处是寒冷，没有风、雪、雨、露，没有草、木、鸟、兽，自然也不会有人。一句话，没有太阳，就没有我们这个美丽可爱的世界。

杀菌：disinfect; sterilize

预防：prevent; take precautions
　　against

★ 为什么没有太阳就没有我们这个美丽可爱的世界?

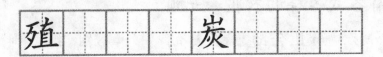

殖　　　　　　炭

盘子　　箭法　　步行　　火球　　温度　　繁殖
柴火　　煤炭　　地层　　凝成　　热量　　杀菌
预防　　抵得上　　摄氏度　　水蒸气　　寸草不生

画太阳刺眼

书画展上，大卫指着一幅画问汤姆：
"这幅画画的是太阳还是月亮？"
"是月亮。"汤姆十分肯定地回答。
"你怎么知道？"
"这幅画的作者是我叔叔，他从来不画太阳。"
"为什么？"
"他视力不好，画太阳怕刺眼。"

地球也有各式各样的衣服，五颜六色，绚丽多彩，而且会随着岁月的变化而变化。

39　变幻多彩的地球

不同衣料做成的衣服，穿在身上，有的凉爽，有的暖和。

地球也有各式各样的衣服，五颜六色，绚丽多彩，而且会随着岁月的变化而变化。地球上的大气、水和生物，使它成为太阳系中色彩最丰富的星球。

蓝色的衣服是海洋湖泊，冬天暖和，夏天凉爽。这是因为水能吸收的热量特别多。当阳光强烈时，水把大量的热吸去，起了降低气温的作用；当天气转冷后，水又把热陆续放出来，使气温不会降得太低。

地球上约有71%的面积覆盖着蓝色的衣服，而在大陆上又有大约1/5的土地穿着黄色的衣服，这就是沙漠和半沙漠地区。大片的沙漠使那里的气温热时特别热，冷时特别冷，起着与

岁月：years

变幻：change irregularly

✿区别"绚""询"，组词。

大气：atmosphere

太阳系：the solar system

大量：a large number; a great quantity

降低：drop; lower

气温：air temperature

沙漠：desert

海洋完全相反的作用。在沙漠中，白天和夜晚的温差常常达到好几十度。

大气是地球最重要的一件外衣，它阻挡着太阳照射来的热，同时也阻挡地面的热向宇宙中散[sàn]失。如果没有大气，被太阳照着的地方就太热了，而晒不到太阳的地方又太冷了。

空气中含的水蒸气多，吸收热的能力就强，所以海洋上潮湿的空气比沙漠上干燥的空气更能吸收热量，调节温度。

在高山上，空气稀薄，水蒸气少，热量来得快，去得也快。那里一年四季常常被冰雪所覆盖，穿起了白色的衣服。

两极也是终年穿着白色衣服的地区。那里因为位置的影响，阳光是斜射的。阳光在大气中旅行的时间长，一路上被阻挡掉的热就多，所以到达地面的热量少，气温很低。地面得到的热量已经少了，白色的衣服更将这些热大量反射掉，这就使温度更低了。

地球上约有1/10的陆地终年穿着白色的衣服。到了冬天，"千里冰封，

温差：range of temperature

阻挡：obstruct; stop

散失：be lost; scatter and disappear

干燥：dry; arid

调节：regulate; adjust

❖写出"薄"的两个读音，各组一个词。

两极：the two poles of the earth

终年：all the year round; perennially

139

万里雪飘"，穿白衣服的地区就更多了。

　　能够使地球上冷暖干湿更加适合人类需要的，是绿色的衣服。植物掩盖地面，掩盖得最密的是森林，它对改善气候起着重要的作用。

　　地球的衣服和气候的关系非常密切，因此我们要让它穿得合适。这是有可能做到的，现在也正在做。植树造林，就是在制作绿色的衣服；修水库，扩大水田，就是为了使陆地上有更多的地区穿上蓝色的衣服：这些工作的结果又都使黄色的衣服逐渐减少。在宇宙飞船上天以后，我们对那看不见的最重要的地球的外衣——大气，也将了解得更清楚，将来也有可能控制它，改造它。我们一定能使地球上的气候一天天变得更好。

改善：improve; ameliorate

★ 你知道绿色为什么对改善气候有重要的作用吗？

植树造林：afforestation

水库：reservoir

扩大：enlarge; expand

改造：transform; reform

★ 你认为让地球气候变好有哪些办法？

岁月	变幻	大气	大量	降低	气温
沙漠	温差	阻挡	散失	干燥	调节
两极	终年	改善	水库	扩大	改造
太阳系	植树造林				

杞 (qǐ) 人忧天

　　中国古代的杞国,有一个人总爱胡思乱想(go off into wild flights of fancy)。一天,他在大街上走着走着,忽然想:"要是天塌下来怎么办呢?"于是他急急忙忙跑回家,想把家搬到一个安全的地方。但是,搬到哪儿去呢?哪里都有天啊!他只好跑去跟别人商量。他问人家:"天要是塌下来,我们怎么办呢?到哪儿去躲一躲呢?"别人以为他疯了,就对他说:"天怎么会塌下来呢?你别瞎(foolishly; stupidly)担心了!"可他根本不听。就这样,他吃不下饭,睡不着觉,一天天瘦了下去,最后忧愁而死。后来人们就用"杞人忧天"比喻不必要或毫无根据的忧虑和担心。

你可能只注意到了蝴蝶的漂亮，却从来不会想到，它那美丽的外表还和人造卫星上天有密切的关系呢。

外表：appearance; outward

人造卫星：man-made satellite

40 蝴蝶和卫星

蝴蝶，我们大家都认识它！春天，在明亮的阳光下，美丽的彩蝶翩翩起舞，颜色是那么鲜艳，舞姿是那么优美，真不愧是昆虫世界里的舞蹈（dǎo）家！但是，你可能只注意到了蝴蝶的漂亮，却从来不会想到，它那美丽的外表还和人造卫星上天有密切的关系呢。

舞姿：a dancer's movements and posture

不愧：be worthy of

舞蹈家：dancer

❖ 区别"蹈""稻"，组词。

我们知道，在一两万米的高空，温度非常非常的低。当飞机飞到那样的高度时，人几乎经受不住那样的寒冷。而卫星穿过大气层后，进入离地球二三百公里的轨（guǐ）道运行时，温度则会发生不同的变化。当卫星朝向太阳的时候，温度一下子可以上升一二百摄氏度；当它背向太阳的时候，温度又会突然下降一二百摄氏度。这

大气层：atmosphere

轨道：orbit

运行：move; be in motion

种突然上升突然下降的温度，给卫星的正常运行带来了巨大的困难。当温度上升时，高温会烤坏卫星的外壳(ké)；当温度下降时，低温又会冻裂卫星上的各种仪器。为了解决卫星的温度控制问题，科学家们反复试验，伤透了脑筋，一直没有找到解决的办法。

不过，你也许想象不到，解决这个科学上的大难题，蝴蝶居然帮了大忙。

原来，在一些蝴蝶的身体表面生长着一层细小的鳞(lín)片。这些鳞片不仅看起来漂亮，而且可以调节身体的温度，有很高的实用价值。当温度升高时，这些鳞片就倾斜起来，以减少太阳光照射的强度。当温度突然下降时，这些鳞片又自动地铺在蝴蝶身体的表面，让阳光直接照射在鳞片上，以便吸收更多的热量，从而调节蝴蝶身体的温度。

根据这一原理，科学家将卫星表面设计成百叶窗的样子。这种"百叶窗"能放能收。当卫星朝向太阳时，百叶窗就慢慢打开，让卫星尽可能少地吸收太阳光的热量，以免外壳被烤

外壳：outer covering; shell; case

❀ "高温"和"低温"是一对反义词，你能说出它们的意思吗？

仪器：instrument; apparatus

鳞片：scale (on fish or insects wings)

倾斜：incline; slope

强度：intensity; strength

❀ 用"以便"造句。

★ 请你说说鳞片自动调节温度的道理。

百叶窗：shutter; jalousie

坏；当卫星背朝着太阳时，百叶窗又会自动合上，铺在卫星的表面，让它尽可能多地吸收阳光的热量，以免卫星中的仪器被冻坏。有了这样的百叶窗，卫星表面的温差会大大减小，卫星就能安全地遨（áo）游在太空当中了。

遨游：roam; travel

★试着用一两句话说说蝴蝶是怎样帮忙的。

| 蹈 | | | | 轨 | | | | 壳 | | | |
| 鳞 | | | | 遨 | | | | | | | |

外表　　舞姿　　不愧　　轨道　　运行　　外壳

仪器　　鳞片　　倾斜　　强度　　遨游　　舞蹈家

大气层　　百叶窗　　人造卫星

猜一猜

身穿大花袍(páo, gown)，
舞姿轻飘飘。
春天花一开，
专在花丛绕。

（打一动物）

春天像刚落地的娃娃，从头到脚都是新的，它生长着。

落地：(of a baby) be born

春天像小姑娘，花枝招展的，笑着，走着。

花枝招展：(of women) be gorgeously dressed

春天像健壮的青年，有铁一般的胳膊和腰脚，领着我们向前去。

健壮：healthy and strong

 41　春

盼望着，盼望着，东风来了，春天的脚步近了。

一切都像刚睡醒的样子，欣欣然张开了眼。山青翠起来了，水涨起来了，太阳的脸红起来了。

欣欣然：joyfully; with pleasure

小草偷偷地从土里钻出来，嫩嫩的，绿绿的。花园里，田野里，瞧去，一大片一大片，到处都是。坐着，躺着，打两个滚，踢几脚球，赛几趟跑，捉几回迷藏。风轻悄悄的，草软绵绵的。

捉迷藏：hide-and-seek

❖举出几个与"踢几脚球，赛几趟跑，捉几回迷藏"相似的短语。

桃树、杏（xìng）树、梨树，你不让我，我不让你，都开满了花赶趟儿。红的像火，粉的像霞，白的像雪。花里带着甜味儿；闭了眼，树上仿佛已

杏：apricot

赶趟儿：join in the fun

经满是桃儿、杏儿、梨儿。花下成千成百的蜜蜂嗡(wēng)嗡地闹着，大小的蝴蝶飞来飞去。野花遍地是：有名字的，没名字的，散在草丛里像眼睛，像星星，还眨呀眨的。

"吹面不寒杨柳风"，不错的，像母亲的手抚摸着你。风里带着些新翻的泥土的气息，混着青草味儿，还有各种花的香，都在微微湿润的空气里酝(yùn)酿。鸟儿将窝安在繁花嫩叶当中，高兴起来了，呼朋引伴地卖弄清脆的嗓子，唱出动听的曲子，跟轻风流水呼应着。

雨是最平常的，一下就是三两天。看，像牛毛，像花针，像细丝，密密地斜织着，人家屋顶上全笼着一层薄烟。树叶绿得发亮，小草儿也青得逼你的眼。傍晚时候，点灯了，一点点黄色的光，衬托出一片安静而和平的夜。小路上，石桥边，有打起伞慢慢走着的人；地里还有工作的农民，披着蓑(suō)戴着笠。他们的草屋，在雨里默默地立着。

天上风筝渐渐多了，地上孩子也多了。城里乡下，家家户户，老老小小，也赶趟儿似的，一个个都出来了。

湿润: moist; humid

酝酿: brew; ferment

呼朋引伴: call up his gang; gang up

卖弄: show off; parade

衬托: set off; serve as a foil to

和平: peaceful

蓑笠: straw rain cape and bamboo hat

活动活动筋骨，抖擞（sǒu）抖擞精神，各做各的一份儿事去。"一年之计在于春"，刚开始，有的是工夫，有的是希望。

春天像刚落地的娃娃，从头到脚都是新的，它生长着。

春天像小姑娘，花枝招展的，笑着，走着。

春天像健壮的青年，有铁一般的胳膊和腰脚，领着我们向前去。

（本文作者朱自清，有改动）

抖擞：enliven; rouse

★ 想想"一年之计在于春"是什么意思。

工夫：time

★ 你能解释一下这三个比喻的意思吗?

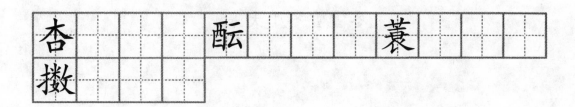

杏　　落地　　健壮　　湿润　　酝酿　　卖弄

衬托　　和平　　蓑笠　　抖擞　　工夫　　欣欣然

捉迷藏　　赶趟儿　　花枝招展　　呼朋引伴

二十四节气

(24 divisions of the solar year in the traditional Chinese calendar)

二十四节气是：立春、雨水、惊蛰 (zhé)、春分 [fēn]、清明、谷雨、立夏、小满、芒 (máng) 种、夏至、小暑、大暑、立秋、处暑、白露[lù]、秋分、寒露、霜 (shuāng) 降、立冬、小雪、大雪、冬至、小寒、大寒。下面是一首二十四节气歌：

春雨惊春清谷天，
夏满芒夏暑相连。
秋处露秋寒霜降，
冬雪雪冬小大寒。

有一次，在收线的时候，我的蝴蝶，一下子被大榕(róng)树的树梢缠住。线扯断了，风筝却飘飘荡荡地挂在那里……

榕树：small-fruited fig tree; banyan

42 挂在树梢上的风筝

随便走到哪里，大自然都是美丽的。

但我还是喜欢故乡的山，故乡的水。

还是远在台湾的时候，还是早在30年前青春的岁月，我就常常思念海峡对岸我的故乡，思念那座无名的小山了。

而特别使我难忘的，是山顶上的那棵古老的大榕树：青枝绿叶，亭亭如盖，并且还垂着潇洒的长长的胡须。真好像一位登高而望归人的老者呢。

我的故乡是平原。从外地回来的游子望见山顶上那棵高高的老榕树时，他就知道：快到家了！

记得，在战争时期，由于日本飞

青春：youth

✤ 读一读下面的词语，推测它们的意思：

　　无名　无声　无语　无形　无色
　　无味　无情　无意　无力

亭亭：(of a tree) tall and erect

归人：returned people

老者：old man

游子：man travelling or residing in a place far away from home

机的空袭(xí)，我读书的学校，疏(shū)散到附近的县上去了。寒假或是暑假回家时，我和同学们，三五成群，在漫长的公路上走着，走着，疲倦而又单调地走着。忽然之间，有谁最先发现了那山顶上的老榕树——虽然，还仅仅只是个蒙蒙的影子——就像哥伦布（Columbus）发现了新大陆一样，所有的人都情不自禁地欢呼起来："到家了！"于是，我们不由得都争先恐后加快了脚步，而且越走越快，越走越有劲儿。老榕树的影子，也看得越来越清楚了，还真像一位登高而望归人的老者呢……

我还记得，小时候，我最喜欢带上几本书做枕头，一个人躺在大榕树下面的草地上，自由自在地幻想。阳光下，淡淡的野花的香味，像故乡的米酒一样令我沉醉。

我更记得，在每年春节后的几天，我的故乡有放风筝的习惯。而山顶，就是孩子们比赛的地点。各式各样的风筝，一个比一个放得高。我的彩色的蝴蝶风筝，在辽（liáo）阔的天空，显得特别的轻盈（yíng）。

但是，很不幸。有一次，在收线

空袭：air attack
疏散：disperse; evacuate

漫长：very long; endless

大陆：continent; mainland
情不自禁：can not refrain from; can not help (doing sth.)

枕头：pillow

米酒：rice wine
沉醉：become intoxicated
★ "淡淡的野花的香味，像故乡的米酒一样令我沉醉"，这句话表达了作者怎样的感情？
辽阔：vast; extensive
轻盈：slim and graceful; lithe

的时候，我的蝴蝶，一下子被大榕树的树梢缠住。线扯断了，风筝却飘飘荡荡地挂在那里……

多少年已经过去。我离开故乡也越来越远、越来越久了。但是，我却一直觉得，我的风筝，好像还依然挂在那棵大榕树的树梢上呢。

在台湾，每当想起我的故乡，我就一定会想起那座无名的小山，一定会想起那棵古老的榕树，也就一定会想起似乎还依然挂在那树梢上的我的风筝。

于是，我就有着一种难以排解的痛苦的思念和思念的痛苦。好像我的游子的心也挂在那海峡对岸的遥远的树梢上一样……

✿ 用"每当……就……"造句。

排解：divert oneself; relieve sb. of

★ 为什么说"我的游子的心也挂在那海峡对岸的遥远的树梢上"？

榕				袭				疏			
辽				盈							

榕树　　青春　　亭亭　　归人　　老者　　游子
空袭　　疏散　　漫长　　大陆　　枕头　　米酒
沉醉　　辽阔　　轻盈　　排解　　情不自禁

阶下儿童仰面识，

清明装点最堪（kān, may）宜（yí, suitable）。

游丝一断浑（hún, all over）无力，

莫（not）向东风怨别离。

（打一物）

这样的时刻，因为远离世俗，你会感受到一些匆匆忙忙中难以体会的滋味。

43 夏天也是好天气

整个梅雨季节，都是潮叽（jī）叽黏（nián）乎乎的。阴沉沉的天空，泛出热辣辣的黄光，晃得人头晕眼花。太阳被憋（biē）在厚密的云层里，拼命挣扎着想出一口气。忽然，有一天，"嘭"（pēng）的一声，天空裂开了，太阳穿过了乌云。夏天，来了。

心，刚刚放下一半。那口憋在胸中很久的叹息，还没来得及发出，便已经燃烧成了一股热浪。人像一团发酵（jiào）的面粉，被烤成了一块圆鼓鼓的面包，喷涌而出的汗珠，就是这面团蒸发的水汽。

这样的时刻，是一种特殊的生活。你的思维（wéi）、你的渴望、你的生活，全都脱离了往日轨道。往日很多必须要做的事，都变成了多余。这样的时刻，因为远离世俗，你会感受

世俗：common customs

黏：sticky; glutinous

❖ 我们学过"热辣辣、绿油油"，你能推测出下面词语的意思吗？

潮叽叽　黏乎乎　阴沉沉

头晕眼花：make one's head swim; be dazzling

憋：suffocate

发酵：ferment

喷涌：gush; spout

❖ 用"珠"组词。

思维：thought; thinking

脱离：separate oneself from; break away from

多余：unnecessary; superfluous

到一些匆匆忙忙中难以体会的滋味。

这样的时刻，会有一个小女孩儿，扬起双眉，唱着童音说：我喜欢夏天，因为可以穿花裙子。

这样的时刻，会有一个小男孩儿，扬起头，扮作大男人说：我喜欢不做准备，就"扑通"一声跳入清凉的水池。

长大了的人，可以有个借口，放下该做的工作。找个安静的地方，架一张竹椅，半躺半卧，双眼微眯，冷静地看世界，冷静地看自己。

回忆起往日的风云厮(sī)杀，唇边露出一抹自嘲：何苦？这一声心里话，也会为人生送来一丝清凉，一丝安慰。

或者随手拿出一本早已翻过几十遍的书，轻轻地翻，闲闲地看，偶然会发现一篇美文忽然亮在你的眼前。那早已熟悉的文字，在这炎热的夏日中，常常会产生出一段美妙的旋律。

春夏秋冬，四季的旋律各有不同，而夏天就是这样的一串音符，这样的一处世外桃源，它可以让你在炎热中获得一份内心的宁静。

（本文作者素素，有改动）

清凉：cool and refreshing

❖ 从本文中找出一个"清凉"的反义词。

冷静：sober; calm

★ 长大了的人可以找到一个什么"借口"？

厮杀：fight at close quarters (with weapons)

自嘲：self-mockery

美文：well-written article

美妙：wonderful

音符：(musical) note

内心：heart; innermost being

★ 作者为什么认为夏天也是好天气？你喜欢夏天吗？

黏					憋					酵				
维					厮									

黏　　　憋　　　世俗　　　发酵　　　喷涌　　　思维
脱离　　多余　　清凉　　　冷静　　　厮杀　　　自嘲
美文　　美妙　　音符　　　内心　　　黏乎乎
头晕眼花

想一想

　　中国古代有一个很有学问的人叫孔融，六七岁时便聪明过人。一次，许多人在一起闲聊，当着孔融的面夸奖他的才能。这时，有一个姓陈的人却说："小时候聪明的人，等到长大以后未必会有什么大成就。"孔融笑着回答说："那您小的时候一定很聪明吧？"

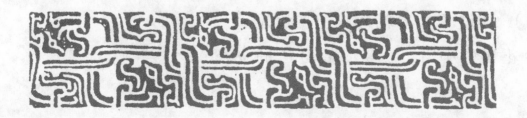

我逃避(bì)午睡，因为我爱这世界。

我不忍让生命在睡眠(mián)中白白流过。

我希望生命在宁静中充实而延续。

44 夏　午

夏天的中午，多数人都喜欢午睡，而我却是醒着的时候多。因此，我能更多地领略这段时间的寂寞和丰富。

从小，我就逃避午睡。

那时候，在北方乡下。我们家的院子很深，本来就静，午睡的时候就更静。

母亲总是逼着我午睡，而我，却常常在母亲睡着以后，悄悄地爬起来。轻轻地迈过那一尺高的门槛(kǎn)，经过开着荷花的院子，打开通往后花园的小门，去享受我自己的中午。

后花园真是色彩丰富！

逃避：escape

午睡：afternoon nap

睡眠：sleep

充实：substantial; rich

领略：appreciate; enjoy

门槛：threshold

五颜六色的野花,红的、白的、粉的、蓝的、紫的,还有一半粉一半白,一半蓝一半红的。你简直数不清它们有多少种颜色!这些花在微风中摇动着,带着孩子似的娇羞。

花园的左边是菜园,种着刚从泥土里钻出来的小葱(cōng)和被一个无形的嘴吹得越来越肥胖的茄(qié)子。可爱的大南瓜,笑呵呵地躺在地上,享受着园中这一片宁静。

葱: shallot

茄子: aubergine; eggplant

南瓜: cushaw; pumpkin

笑呵呵: laughingly; with a laugh

右边是花房,里面住着胆小娇贵的南方来的花。

娇贵: delicate and fragile

★为什么说南方的花"胆小娇贵"?

母亲说,花园里面有狐(hú)仙,不许小孩子进去。我总是偷偷地往里走两三步,然后站在泥土的台阶上,想象狐仙的样子。

狐仙: fairy fox

在我想来,狐仙是个爱午睡的老爷爷,留着长长的白胡须,穿着和胡须同色的布裤子。

"即使他发现我进来,他也懒得干涉我的。"我想。

而且,他可以同花朵们住在一起,我是多么羡慕他呀!

地上总是有很多蚂蚁(mǎyǐ)。它们一向勤劳,不停地忙着。

蚂蚁: ant

♣区别"蚁""仪""议",并组词。

我看着它们匆匆地忙来忙去,可

以看很久。不知为什么，它们那样吸引我的注意。我并不欣赏它们那瘦小的模 [mú] 样，但我欣赏它们的动作，沉着、迅速而有规律。有时，我也担心它们会迷路，当我看见一只蚂蚁走得太远的时候，就用一根小草把它轻轻地拨回来。我不知道这样是否会扰乱了它的工作，耽误了它完成任务。

小时候的夏日中午，总是这样过去，我从不厌倦那充满着生命欢乐的花园。

现在，在这炎热的小岛上，我仍旧喜爱夏日的中午，我仍旧逃避午睡，因为我牵挂着窗外那一大片绿色的稻田。风从海上缓缓地吹来，吹过院中大叶子的树木，发出潮水一般的声音。只有在炎热的夏日的中午，才会有这种带着凉爽的声音！

我坐在房前的躺椅上。

花醒着，草木醒着，风醒着，我也醒着，在夏午的阳光里。

我逃避午睡，因为我爱这世界。

我不忍让生命在睡眠中白白流过。

我希望生命在宁静中充实而延续。

（本文作者罗兰，有改动）

模样：appearance

♣用"莫"组成几个字，并分别组词。

扰乱：disturb

★ "逃避午睡"给"我"的童年带来了哪些快乐？

牵挂：worry; care

★长大以后，"我"为什么仍旧喜欢"逃避午睡"？

避				眠				槛			
葱				茄				狐			
蚂				蚁							

葱　　　　逃避　　　午睡　　　睡眠　　　充实　　　领略

门槛　　　茄子　　　南瓜　　　娇贵　　　狐仙　　　蚂蚁

模样　　　扰乱　　　牵挂　　　笑呵呵

读一读

吴牛喘(chuǎn, breathe heavily)月

　　中国江南一个地区（古时称吴）的夏天，白天很热，太阳炽(chì)烈(burning fiercely)地烤着大地。田里的牛热得受不了，只好靠大口大口地喘气来散发热量。到了晚上，圆圆的月亮升起来了，牛以为还是那轮太阳，就习惯性地又喘起气来。后来，人们用"吴牛喘月"这个词比喻因为遇到类似的事情而害怕的现象。

蝉（chán）声使我不禁想起了我的童年。因为这些愉快的音符太像一卷录音带，让我把童年的声音又一一捡回来。

蝉：cicada

录音带：audio; tape

 ## 45 夏之绝句

春天，像一篇美文，而夏天，像一首绝句。

夏天什么时候跨进了门槛，我并不知道，直到那天上课的时候，突然听到所有的蝉都同时叫了起来，把我吓了一跳。

♣ 读一读下面的短语：

吓一跳　吃一惊　摔一跤

咬一口　看一眼

蝉声使我不禁想起了我的童年。因为这些愉快的音符太像一卷录音带，让我把童年的声音又一一捡回来。

那时，最兴奋的事不是听蝉而是捉蝉。小孩子总喜欢玩赏那些令他好奇的东西，我也不例外。你能想象这样一群穿着短裤、戴着黄帽的小学生吗？他们把书包搁在路边，也不怕掉到河里，也不怕钩破衣服，更不怕破皮流血，就急急忙忙地直往大树的怀

玩赏：enjoy

例外：exception

里钻。这一切只因为树上有蝉。"抓到了！抓到了！"有人在树上喊。下面有人赶快递上火柴盒，把捉到的蝉关了进去。不敢多看一眼，生怕它飞走了。那种紧张就像《天方夜谭（tán）》里，那个渔夫用计把魔鬼骗进坛子之后，赶忙封好符咒（zhòu），再不敢回去碰它一般。可是，蝉那轻纱般的双翼却已经在小孩子的两颗太阳中，留下了难忘的光彩。

到了教室，大家互相炫（xuàn）耀火柴盒里的小动物——蝉、天牛、金龟子。有的用蝉换天牛，有的用金龟子换蝉。大家互相交换也互相赠送，有的找来几片叶子，喂给他铅笔盒或火柴盒里的小宝贝。那时候打开铅笔盒非常小心，心里痒痒的时候，也只敢打开一条小缝，用一只眼睛去瞄（miáo）几眼。上课的时候，老师在上面讲，我们两眼瞪着前面，两只手却在书桌里摸着宝贝盒子，耳朵专心地听着金龟子在盒子里拍打翅膀的声音，越听越心花怒放，禁不住打开一条缝，把手指伸进去按一按金龟子，叫它安静些，或是摸一摸老实的蝉，拉一拉天牛的一对长角。不过，偶尔

生怕：for fear that; so as not to

天方夜谭：The Arabian Nights

魔鬼：devil; demon

符咒：Taoist magic figures and incantations

轻纱：fine gauze

★ "小孩子的两颗太阳" 指的是什么？

炫耀：show off

天牛：longicorn; long-horned beetle

金龟子：scarab

❖ 再用汉语说出几种昆虫的名字。

交换：exchange

赠送：give as a present

瞄：glance

心花怒放：burst with joy

偶尔：once in a while; occasionally

不小心，也会被天牛咬一口，它大概很不喜欢那长长扁扁被扎得满是小洞的铅笔盒吧！

整个夏季，我们都兴高采烈地强迫蝉从枝头搬家到铅笔盒来，但是铅笔盒却从来不会变成音乐盒，蝉依旧在河边高高的树上叫，依旧是那种完美无缺的旋律。

捉得住蝉，却捉不住蝉声。每年每年，蝉声依旧，依旧像一首绝句。

（本文作者简媜，有改动）

❀根据"铅笔盒""火柴盒"，推测一下"音乐盒"的意思。

完美无缺：perfect

| 蝉 | | | 谭 | | | 咒 | | |
| 炫 | | | 瞄 | | | | | |

蝉　　　瞄　　　玩赏　　　例外　　　生怕　　　魔鬼

符咒　　　轻纱　　　炫耀　　　天牛　　　交换　　　赠送

偶尔　　　录音带　　　金龟子　　　天方夜谭

心花怒放　　　完美无缺

西江月①

夜行黄沙道中

辛弃疾

明月别枝惊鹊②，

清风半夜鸣蝉。

稻花香里说丰年③，

听取蛙④声一片。

七八个星天外，

两三点雨山前。

旧时茅店⑤社林⑥边，

路转溪头忽见⑦。

---

① [西江月] 词牌名。

② [别枝惊鹊] 惊动喜鹊，飞离树枝。

③ [丰年] 丰收之年。

④ [蛙(wā)] 青蛙。

⑤ [茅(máo)店] 乡村小旅店。

⑥ [社林] 土地庙附近的树林。

⑦ [见(xiàn)] "现"，意思是出现。

感谢秋风吧，别曲解了它那一片保护生命的慈（cí）母般的心意。

曲解：misunderstand

慈母：loving mother

 46 秋 魂

秋 实

秋天了，成熟的果实却低下了头，它不是在自我欣赏，也不是在自我陶醉，更不是在哀伤自己将跌落枝头。它是在想：我是怎样成熟的呢？

不是风，我怕早已霉烂了；

不是雨，我怕早已干枯了；

不是光，我怕早已苍（cāng）白了；

不是热，我怕早已衰败了。

世界上有不经过风吹雨打而成熟的果实吗？

世界上有不经过光射日晒而成熟的果实吗？

哀伤：sad; distressed

霉烂：mildew and rot

干枯：dried-up; withered

苍白：pale; paillid

衰败：wither; fade

★ 你能说说秋天的果实是怎样成

熟的吗？

秋 色

秋天是什么颜色？

谷子说：秋天是黄色的，我就是叫秋风吹黄的。高粱（liang）说：秋天

谷子：millet

高粱：Chinese sorghum

是红色的，我就是叫秋气染红的。棉花说：秋天是白色的，不然，我哪里会这样洁白呢？墨菊却说：秋天是黑色的，我开放的花朵就是证明。松树说：秋天和夏天没什么区别，都像我一样青翠……

秋天听了摇摇头说：不，不，我是五颜六色的。如果我只属于一种颜色，那秋天该是多么的单调啊！

棉花：cotton

墨菊：chrysanthemum

属于：belong to

★为什么秋天说自己是"五颜六色"的？

秋　风

有人说，秋风是无情的，它吹跑了树叶，吹落了果实，吹掉了种子，说它吹走了一个充满生气的世界。

人们啊，你可曾想过这样的道理吗？

如果不是秋风将树叶吹落树梢，那片片叶子不是要被严冬撕碎吗？如果不是秋风把果实摘下高枝，那果实不是要被冰雪吞掉吗？如果不是秋风将种子吹下树枝，那种子不是要被酷寒冻死吗？是秋风，把叶子介绍给根须，使它找到了延续生命的母体；是秋风，把种子藏进了厚厚的泥土，使它有了一个萌（méng）生春天的温床。

感谢秋风吧，别曲解了它那一片

❀说说"严冬""酷寒""酷暑""寒秋""暖春"的意思。

母体：the mother's body

萌生：give birth to

温床：hotbed; breeding ground

165

保护生命的慈母般的心意。

秋　土

春天的土地是温暖的，它使万物萌生；夏天的土地是热烈的，它使生命发展；秋天的土地则是诚实的，它用收获证明着劳动者的品质。

如果你种下的是葵花，秋天收获的定是一片金黄；如果你种下的是甘蔗 (zhe)，秋天收获的定是蜜糖。如果你什么也不种，秋天收获的则是一片空白。

秋天说：人们啊，在你播种时，最好先想想秋天会有什么样的收获吧！

（本文作者刘增山，有删节）

★ 为什么说"秋天的土地是诚实的"？

品质：quality

甘蔗：sugar-cane

♣ "空白"的"空"读什么音？它还能读成什么？

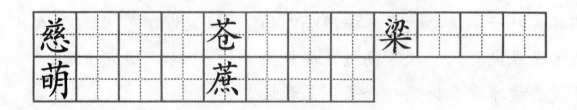

慈　　　苍　　　梁
萌　　　蔗

曲解　　慈母　　哀伤　　霉烂　　干枯　　苍白
衰败　　谷子　　高粱　　棉花　　墨菊　　属于
母体　　萌生　　温床　　品质　　甘蔗

山 行

杜 牧

远上寒山石径①斜，

白云深处有人家。

停车坐②爱枫林晚，

霜叶③红于④二月花。

———————————

① [径(jìng)] 小路。

② [坐] 因为。

③ [霜叶] 被霜打过的红叶。

④ [于] 比。

噢，月亮竟是这么多的：只要你愿意，就有它了。正像奶奶说的那样：它是属于我们每个人的。

47 月　迹

中秋的晚上，我们在院子里盼着月亮，好久却不见它出来，便回到屋里，缠着奶奶讲故事。奶奶最会讲故事，说了一个，还要再说一个……奶奶突然说：

"月亮进来了！"

我们看时，那窗上果然有了月亮，悄悄地溜进来，出现在窗前的镜子上了：原来月亮是长了腿的，先是一个白道儿，再是半圆，渐渐地爬得高了。我们都屏（bǐng）气不出，生怕那是个影子，会一口气吹跑了呢。月亮还在窗上爬，那满圆却慢慢又亏了，最后便全没了踪迹，只留下一个空镜，一个失望。奶奶说：

"它走了，你们快出去找月亮吧。"

我们就都跑出门去。院子里的光

♣根据"足迹""墨迹"，推测"月迹"的意思。

屏气: hold one's breath

亏: (of the moon) wane

★想一想，"满圆又亏了"是什么意思?

是银色的，灯光也没有这般明亮，而月亮果然正在头顶。它明显大多了，也圆多了，可以清晰看见里面有了什么东西。

明显：obviously

"奶奶，那月上是什么呢？"我问。

"是树，孩子。"奶奶说。

"什么树呢？"

"桂树。"

我们都面面相觑（qù）了。忽然间，好像有了一种气息，似乎我们已在月里了，那月中的桂树分明就是我们身后的这一棵了。

面面相觑：look at each other in blank dismay

奶奶瞧着我们，就笑了：

"傻孩子，那里边已经有人了呢！"

"谁？"我们都吃惊了。

"嫦娥（cháng'é）。"奶奶说。

"嫦娥是谁？"

"一个女子。"

嫦娥：the Lady in the Moon

哦，一个女子。我想：月亮里，地该是银铺的，墙该是玉砌的，那么好个地方，住的一定是十分漂亮的女子了。

★ "我"为什么认为嫦娥一定是个漂亮的女子？

"有三妹漂亮吗？"

"和三妹一样漂亮的。"

三妹就乐了：

"哈哈，月亮是属于我的了！"

三妹是我们中最漂亮的，我们都羡慕起来；看着她得意的样子，心里却有了一股忌妒。我们便争执(zhí)了起来，每个人都说月亮是属于自己的。奶奶从屋里端了一壶甜酒出来，给我们每人倒了一小杯，说：

"孩子们，瞧瞧你们的酒杯，你们都有一个月亮哩！"

我们都看着那杯酒，果真里边就浮起一个小小的月亮的满圆。捧着，一动不动的，手刚一动，它便酥酥地颤。大家都喝下肚去，月亮就在每一个人的心里了。

奶奶说：

"月亮是每个人的，它并没走，你们再去找吧。"

我们越发觉得奇了，便在院里找起来。妙极了，它真没有走去，我们很快就在葡萄叶上，瓷花盆上发现了。我们来了兴趣，竟寻出了院门。

院门外，便是一条小河。河水细细的，灿灿地闪着银光。我们向沙滩跑过去，弟弟刚来到河边，就在前面大呼小叫了："月亮在这儿！"

争执：disagree; dispute

酥酥：limply; softly

灿灿：splendidly

大呼小叫：call out; shout

170

妹妹几乎同时在后面喊道:"月亮在这儿!"

我们沿着河边跑,哪一处的水里都有月亮了。我们都看着天上,我突然又在弟弟妹妹的眼睛里看见了小小的月亮。我想,我的眼睛里也一定会有的。噢,月亮竟是这么多的:只要你愿意,就有它了。正像奶奶说的那样:它是属于我们每个人的。

★ 为什么说月亮是属于每一个人的?

屏				觑				嫦				
娥				执								

亏   屏气   明显   嫦娥   争执   酥酥
灿灿   面面相觑   大呼小叫

笑一笑

夏天的晚上,小妹和小弟在水池边玩儿。忽然,小妹一抬头看见了天上的半圆形月亮,就对小弟说:"真奇怪,上个星期晚上我看到的月亮是圆的,今天怎么只剩下半个了呢?"

小弟还没来得及回答,小妹突然又叫了起来:"原来如此,你看,另外半个月亮掉在水池里了。"

初冬的第一场雪真是让人欣喜！大团大团的雪花飘飘而下，仿佛一群白色的精灵正赶着去参加盛大的节日聚会。

精灵：goblin; spirit

48 新 雪

　　早晨醒来，发现世界明亮了，人也清楚了，隆隆的车马声不再喧闹刺耳，而是若有若无、若隐若现。窗外的欢笑声仿佛是从梦中传出来的，模模糊糊，似乎不太真实。走到窗前一看，才知道，茫茫的白雪已将整个大地覆盖住了，看不见它本来的颜色。

喧闹：noisy

♣写出几个"喧"的同音字，分别组词。

刺耳：grating on the ear; jarring

　　初冬的第一场雪真是让人欣喜！大团大团的雪花飘飘而下，仿佛一群白色的精灵正赶着去参加盛大的节日聚会。世界的喧闹声音已经让遍地大雪吸收了去，人们在凛冽（lǐn liè）的白色世界中吐出的，是被雪花过滤（lǜ）了的气息！那种清新、宁静的环境，真的是上帝丰厚的赐予，人间珍贵的节日呢。

凛冽：piercingly cold

过滤：filter

丰厚：rich and generous

赐予：grant; bestowal

　　孩子们对于新雪的喜悦，与我们

这些成年人的心灵相比，更是一番新天地。八岁的儿子睁开睡眼，发现窗外一片雪白，顿时睡意全消，立刻笑着叫着手舞足蹈起来。

手舞足蹈：dance for joy

"太好了，太好了，下雪了！下雪了，下雪了，哦！下雪太好了！"

接着又不住声地叫我：

❖ 这里的"不住声"可以用哪个词替换？

"妈妈，你快来，你快来，你看村子全白了！下雪真是好啊，下雪太好了！"

我告诉他窗外并不是村子，而是我们一直居住其中的大城市，他很不以为然地瞄一瞄我，说：

不以为然：object to; not approve of

"我知道！可是一下雪它就变成村子了！"

我不由一愣。是啊，为什么我们不能把它想象成村子，为什么我们要认定它是一成不变的呢？这世上有什么东西能够一成不变呢？而且……我正要接着思索下去，却听见儿子的欢呼已经变成一种充满温情的祈祷(dǎo)了：

一成不变：unalterable; immutable

思索：think deeply
温情：tender feeling
祈祷：pray

"亲爱的大雪妈妈啊，你下吧，下吧，下得越大越好，越大越好！大雪妈妈呀，我多么喜欢你下雪呀，你一定要越下越大，越下越大啊！"

★ 儿子称"大雪"为"妈妈"，表现了他对于"雪"怎样的感情？

冰清玉洁的大雪变成他的妈妈了，我这个人间的妈妈只好掩上门退出去，到厨房准备早点了。

冰清玉洁：chaste as ice and pure as jade

（本文作者斯妤(yú)，有改动）

| 凛 | | | | 冽 | | | | 滤 | | | | |
| 祷 | | | | | | | | | | | | |

精灵　　喧闹　　刺耳　　凛冽　　过滤　　丰厚
赐予　　思索　　温情　　祈祷　　手舞足蹈
不以为然　　一成不变　　冰清玉洁

背一背

江 雪

柳宗元

千山鸟飞绝①，
万径人踪②灭。
孤舟蓑笠翁③，
独钓寒江雪。

① [绝] 灭绝，消失。
② [踪(zōng)] 踪迹，踪影。
③ [翁] 老头，老人。

下雪了。

雪降落在松坊村了。

雪降落在松坊溪上了。

49 松坊溪的冬天
——写给孩子们

我曾经在松坊村住过好些日子。这是南方的高山地带的一个小小山村。

四面是山。是树林。是岩石。有两条山涧(jiàn)从东、西两面的山里流出来,在村前汇合,又向南流去。这便是松坊溪。

这是一条多么好的溪流。溪上有一座石桥。溪中有好多大溪石。溪水多么清。溪中照着蓝天的影子,又照着桥的影子;照着蓝天上白云的影子,又照着山上松树林的影子。

下雪了。

雪降落在松坊村了。

雪降落在松坊溪上了。

雪降落下来了,像芦(lú)花一般的雪,像柳絮一般的雪,像蒲(pú)公英的

地带: district; region

山涧: mountain stream

汇合: join; converge

♣用"多么"造句。

芦花: reed catkins

柳絮: willow catkins

蒲公英: dandelion

带绒毛的种子在风中飞。雪降落下来了。

绒毛：fine hair; villus

雪降落在松坊溪上了，像芦花一般的雪，降落在溪中的大溪石上和小溪石上。那溪石上都覆盖着白雪了：好像有一群白色的小牛，在溪中饮水了；好像有几只白色的熊，正准备从溪中冒着雪走到覆盖着白雪的溪岸上了；好像溪中生出好多白色的大蘑菇了。

★ 覆盖了白雪的溪石是什么样子？

雪降落在松坊溪的石桥上了。像柳絮一般的雪，像蒲公英的飞起来的种子般的雪，纷纷落在石桥上。桥上都覆盖着白雪了：好像松坊村有一座白玉雕出来的桥，搭在松坊溪上了。

白玉：white jade

远山披着白雪。石桥披着白雪。溪石披着白雪。从石桥上走过时，我停住了。我听见桥下的溪水，正在淙（cóng）淙地流着。我看见溪中照耀着远山的雪影，照耀着石桥和溪石的雪影。我看见溪中有一个水中的、发亮的白雪世界。

淙淙：gurgling
照耀：reflect

当我要从桥上走开时，我看见桥下溪中的白雪世界间，有一群彩色的溪鱼，接着又有一群彩色的溪鱼，穿过桥洞，正在游来游去。忽地，我看

❀ 读一读下面的短语，再举出几个相似的例子：

游来游去 走来走去 看来看去

说来说去 飞来飞去 转来转去

见那成群游动的彩色溪鱼，一下子都散开了，向溪石的洞隙（xì）间游去，都看不见了。忽地，彩色的溪鱼又都游出来了，集合起来，我又看见一群一群彩色的溪鱼，穿过一个照耀在溪水中间的、明亮的白雪世界，向前游过去了。

我望着空中的小雪花，轻轻地降在村前的石桥上。

我感到，这座石桥也是多么美丽呀。

（本文作者郭风，有删节）

洞隙：crack

★ 说说松坊溪的冬天是什么样子？

| 涧 | | | | 芦 | | | | 蒲 | | | |
| 淙 | | | | 隙 | | | | | | | |

地带　　山涧　　汇合　　芦花　　柳絮　　绒毛
白玉　　淙淙　　照耀　　洞隙　　蒲公英

177

懂事的树木

一天，明明和多多坐在树下乘凉（enjoy the cool）。明明抬头望着树上的叶子。

明明："冬天为什么没有茂盛的叶子？"

多多："冬天人们需要温暖的阳光，如果树上长满了茂盛的叶子，不是要给人们挡去了这温暖的阳光吗？"

明明："夏天树上为什么又长有茂盛的叶子？"

多多："道理正相反。夏天人们讨厌这炽（chì）热（blazing）的阳光，树上有叶子可以给人们挡住阳光。"

这块水晶里，包着红屋顶，黄草山，灰树影；这就是冬天的济南。

水晶: rock crystal

50 济南的冬天

对于一个在北平(北京的旧称)住惯的人，像我，冬天要是不刮大风，便是奇迹；济南的冬天是没有风声的。对于一个刚由伦敦回来的人，像我，冬天要是能看得见日光，便是怪事；济南的冬天是晴朗的。在北中国的冬天，而能有温和、晴朗的天气，济南真得算个宝地。

♣ 用"要是"造句。

假若单单是有阳光，那也不算希奇。请闭上眼睛想：一个老城，有山有水，全在天底下，暖和安适地睡着，只等春风来把它们唤醒，这是不是个理想的地方？

★ 为什么说济南算个宝地?

假若: if

安适: quiet and comfortable

唤醒: wake up

四周的小山把济南围了个圈儿，只有北边缺着点口儿。这一圈儿小山在冬天特别可爱，好像是把济南放在一个小摇篮里，它们好像在低声地说："你们放心吧，这儿一定会很暖和。"真的，济南的人们在冬天是脸上

摇篮: cradle

含笑的。他们一看那些小山，心中便觉得有了依靠。他们由天上看到山上，便不由地想起："明天也许就是春天了罢？这样的温暖，今天夜里山草也许就绿起来了罢？"就是这点愿望不能马上实现，他们也并不着急，因为已经有了这样慈善的冬天，还希望些什么呢？

依靠：support; backing

实现：realize

慈善：charitable

最妙的是下点小雪呀。看罢，山上的松树越发的青黑，树尖上顶着一朵儿白花，好像美丽的小护士。山尖全白了，给蓝天镶（xiāng）上一道银边。山坡上，有的地方雪厚点，有的地方草色还露着；这样，一道白，一道暗黄，好像给小山穿上了一件带水纹的花衣；看着看着，这件花衣好像被风吹动，叫你希望看见一点更美的山的肌肤。等到快日落的时候，微黄的阳光斜射在山腰上，那点儿薄雪好像忽然害了羞，微微露出点粉色。只是下点小雪吧，济南是受不住大雪的，那些小山太秀气！

越发：all the more; even more

护士：nurse

镶：inlay; set

❖ 读一读下面的词语，想想它们的意思：

　　山腰　山坡　山脚　山顶

肌肤：(human) skin

那水呢，不但不结冰，反倒冒着点儿热气。水真绿，把终年贮蓄的绿色全拿出来了。天越晴，水越绿，就凭这些绿的精神，水也不忍得冻上；

秀气：delicate; elegant

贮蓄：store up

★为什么济南的水"不忍得冻上"？

况且那柳树还要在水里照个影儿呢！看吧，由澄（chéng）清的河水慢慢往上看吧，自上而下全是那么清亮，那么蓝汪(wāng)汪的，整个是块透明的蓝水晶。这块水晶里，包着红屋顶，黄草山，灰树影；这就是冬天的济南。

（本文作者老舍，有改动）

况且：moreover

澄清：clarified

蓝汪汪：(of water, precious stones, etc.) bright blue

★ 读完本文，你对冬天的济南有什么感受？

镶					澄			汪			

镶	水晶	假若	安适	唤醒	摇篮
依靠	实现	慈善	越发	护士	肌肤
秀气	贮蓄	况且	澄清	蓝汪汪	

笑一笑

最佳催眠(hypnotize)法

作家："我最近刚完成一本小说，不知道你看到了没有？"

读者："你的大作我每天晚上拜读，它对我帮助很大。"

"哦？" 作家又高兴地问，"请告诉我，它对你有什么帮助？"

读者："它使我每天晚上可以安稳地入睡，而不用再吃安眠药（sleeping pill; soporific）。"

妻子下岗(gǎng)又上岗，情绪很快地稳定了下来，又重新找回了自己，也锻炼了我这当丈夫的。

下岗：be laid off (work)

❀ 根据"下岗"，你能说出"上岗"的意思吗？

稳定：calm and unruffled

51 妻子下岗又上岗

　　妻子的单位，这两年一天不如一天。

　　一天，妻子的单位真的破产了。妻子和她的同事哭红了眼睛，恋恋不舍地离开了工作20年的工厂，成了一个下岗女工。妻子下岗后，我倒舒服了几天：下班回家，可口的饭菜就已经做好了，这倒也挺不错的。可是没过几天，我发现妻子总也高兴不起来，尽管我说尽了安慰她的话。妻子总是说："我可不能在家闲着，女人40岁，孩子大了，正是工作的好时候，不管什么单位，只要要我，哪怕工作脏点儿累点儿我都愿意。"等我上班不在家，她就四处寻找，终于找到了一个小厂，又上岗了。

　　妻子重新上岗后第一天就上夜班，尽管她为我和女儿准备好了晚饭

单位：unit

破产：go bankrupt

下班：come off work; off duty

可口：tasty; delicious

夜班：night shift

❀ 用"尽管……还是……"造句。

才走，一到家，我还是觉得家里好像少了点儿什么。女儿也瞪大了眼睛问："爸爸，妈妈不上夜班不行吗？如果你不在，妈妈又上夜班，我怎么办呢？"如果说妻子的下岗，曾经给我们这个小家带来了一时的不安，那么，妻子重新上岗，又给我们这个小家带来了许多新情况、新问题。以前，家里早上吃什么，我从来不用管，每天早上我到公园去跑一圈，回来吃完饭就上班。现在不行了，得早早起床，为自己和女儿准备早饭，买来油条，又去煮牛奶，忙得一塌糊涂。以前下班后，我可以在办公室里和同事们聊聊天，不用考虑什么时候回家。现在不行了，想到妻子要上夜班，哪怕同事们说我"怕老婆"也得赶紧往家跑，怕女儿一人在家害怕。过去，妻子的工厂没多少活儿，所以工作很轻松，回到家能把家务活儿全都干了。现在，妻子下班一到家，常常倒在床上就睡着了。看她累成那个样子，我也很心疼，就主动多干家务，不仅做饭、洗碗、收拾房间，连衣服我也全洗了。我劝她："别干了，再找个好点儿的单位。"她却坚持说："不行。"

★ 根据下文，说说妻子重新上岗给小家带来了哪些新问题。

一塌糊涂: in an awful state; in a complete mess

❖ 比较"涂""途"，分别组词。

老婆: wife

家务活儿: housework

主动: on one's own initiative; of one's own accord

一个月过去了。一天，妻子拿着刚发的工资，高兴地说："怎么样，老公，比以前多一倍呢！"妻子下岗又上岗，情绪很快地稳定了下来，又重新找回了自己，也锻炼了我这当丈夫的。

（本文作者王志仁，有改动）

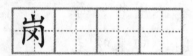
老公：husband

★ 为什么说妻子下岗又上岗"也锻炼了我这当丈夫的"？

岗				

下岗　　稳定　　单位　　破产　　下班　　可口
夜班　　老婆　　主动　　老公　　一塌糊涂
家务活儿

笑一笑

妙语（witty remark）

妻子外出（go out）几天，留下一些家务活儿给丈夫做。一、二、三、四，写在纸条（note）上。妻子还想和他开个玩笑，又加上第五条："多想想你的妻子。"

几天后，妻子回到家，丈夫向她报告完成家务的情况，并递(dì, hand over)回纸条。妻子一看，前四条都写着"完成"，只剩下第五条没写。

"我一出门，你就不想我啦？"

"第五条我也做了，但还没有做完。"丈夫回答。

"张经理亲自选的人是不会错的。"秘书崇拜地说。

 52 招聘(pìn)考试

经理：manager

秘书：secretary

招聘：recruit

上次招聘没成功，这一次，张经理又想了个新办法。

这次应聘的是三个小伙子。张经理在办公室准备好了以后，吩咐秘书把三个小伙子一个一个地叫进来。

应聘：accept an offer of employment

第一个小伙子穿一身中山装，圆脸，厚嘴唇（chún），胖乎乎的。他恭敬地站在张经理面前，非常老实的样子。经理交给他十块钱，说："出公司门口往西三百米处有一个冷饮店，你去那里买三瓶酸奶来。"

嘴唇：lip

胖乎乎：plump; chubby

冷饮：cold drinks

酸奶：yoghurt

小伙子听话地去了。十分钟后，小伙子回来，把钱交还给张经理："实在对不起，我在三百米处看了半天，也没找到冷饮店，只好回来了。实在对不起，没买到酸奶。"

✿用"实在"造句。

"你先到外屋休息去吧。"张经理说完，又吩咐叫第二个。

第二个小伙子不高不矮，不胖不

瘦，一身西装，非常精神。张经理也交给他十块钱："出公司门口往西三百米处有一个冷饮店，你去那里买三瓶酸奶来。"

小伙子和第一个一样，十分钟就回来了，把钱交给经理："公司门口往西三百米处没有冷饮店，所以没买到酸奶。不过，我发现门口往东二百米处倒有个冷饮店，请问能不能到那里去买？"

"你先到外屋休息去吧。"接着又吩咐叫第三个。

第三个小伙子一身牛仔[zǎi]装，十分精干，两只眼睛亮亮的，一看就是个聪明人。经理也给了他十块钱，交给他同样的任务。

小伙子说了声"再见"，转身就走了。十分钟后回来，把三瓶酸奶及找回的零钱放到经理的办公桌上说："张经理，你可真逗。公司门口往西三百米处，根本没有冷饮店。害得我往东又跑了二百米才买到酸奶，冷饮店在东边。您的记性可真是……"

"你先到外屋休息去吧。"

小伙子走后，经理双手一拍，高兴地说："好！定了。"

西装：Western-style clothes

❧ 这里的"精神"是什么意思？

牛仔装：jeans wear

精干：keen-witted and capable

零钱：small change

办公桌：desk

❧ "你可真逗"是什么意思？

记性：memory

★ 读到这里，你觉得哪个人会被招聘？为什么？

186

"第三个？"秘书问。

"太聪明了，什么事都自作主张，这样的人最容易坏事，不可信任。"

"第二个？"

"虽然往西去了，但回来又往东去了，不专心，也不可用。"

"第一个？"

"听话、专心，不自作主张，最可信任。"

"张经理亲自选的人是不会错的。"秘书崇拜地说。

自作主张：act on one's own; decide for oneself

坏事：make things worse; ruin sth.

专心：be absorbed; concentrate one's attention

★ 你同意张经理的选择吗？说说你的理由。

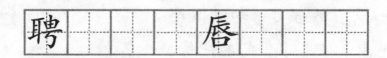

聘　　　　　　唇

经理　　秘书　　招聘　　应聘　　嘴唇　　冷饮

酸奶　　西装　　精干　　零钱　　记性　　坏事

专心　　胖乎乎　　牛仔装　　办公桌　　自作主张

想一想

秘书和来访者

来访者：经理在吗？

秘书：你是推销员（salesman）、税（shuì）务员（tax collector）还是他的朋友？

来访者：三者都是。

秘书：经理在开会；他出差（be on a business trip）去了；在这里等等他吧。

你知道秘书为什么这样回答吗？

从这以后，我们家每月的电话费直线上升。朋友们都说我们家的电话特别难打，总是占线。

53 女儿的电话号码本

女儿六岁，特爱打电话。我们家的电话只要一响，她总是抢着去接，稚（zhì）嫩的声音响起来："喂，你找哪位？请等一等。"人虽小，却满像个大人似的。有时电话来了，我正忙着，没办法马上去接，她还能没话找话，和对方聊上半天。

女儿常接电话，却很少打电话，为此她很生气，怨我和她妈妈都有电话号码本而她却没有。看她那可怜的样子，我就上街给她买了一本。她拿着那个小红本子，高兴极了，一个劲儿喊着说她以后也可以打电话了。于是，第二天她便到幼儿园一个一个地请小朋友们在那小红本子上写下自己家的电话号码。晚上，刚吃完晚饭，她就急忙拿出小红本子，学着大人的样子准备打电话。可是看着小朋友们

电话费：telephone charge

直线：(rise or fall) sharply

号码：number

特：especially; particularly

稚嫩：puerile and tender

♣ 区别"稚""推""雅"，并组词。

为此：for this reason

★ 女儿为什么生气？

幼儿园：infant school; kindergarten

留下的电话号码，她却搞不清谁是谁的了。我和妻子都大笑起来，可她却急哭了，一边哭一边还把那电话号码本重重地扔在了地上。

事情就这样过去了。她还像从前一样，仍然抢着接电话。不过，在我们打电话时，她常悄悄地走开。

有一天，她从幼儿园回到家，脸上充满着神秘的样子。她轻轻地走到电话旁，从口袋里掏出一张照片来，一会儿看看正面，一会儿又看看反面，然后就拿起电话打起来："喂，请找露露……"她拿着电话，咯咯地笑着，笑得那样开心。

我在厨房里看着，觉得奇怪，便走过去从她的手里拿过那张照片。一看，原来是一张他们班全体小朋友的合影，反面是一排排整齐的电话号码。嘿！这小家伙还真是有办法。

从这以后，我们家每月的电话费直线上升。朋友们都说我们家的电话特别难打，总是占线。

（本文作者窦旸，有改动）

★ "悄悄地走开"说明了女儿什么心理？

正面：face

反面：reverse side; back

♣ 用"一会儿……一会儿……"造句。

全体：whole; all

合影：group photo

★ 为什么我们家的电话特别难打？

189

稚

特　　　直线　　　号码　　　稚嫩　　　为此　　　正面
反面　　　全体　　　合影　　　电话费　　　幼儿园

猜一猜

无嘴会说话，
无手会摇铃。
相隔许多路，
声音听得清。

（打一物）

我被人间的一种亲情深深地打动了。

亲情：affection between relatives

打动：move; touch

54 司机和他的"儿子"

司机：driver

一天，我乘出租车，因为路比较远，就和司机聊了起来。他知道我是小学老师后，对我非常客气，询问我有关学校的事情及爱跟什么人交往等。说着说着就谈起了他正上小学五年级的儿子来。

"我儿子踢足球，在青岛市少年足球队。"他的口气很自豪，"我儿子踢前锋。上个月的足球赛，他踢进了16个球，是各个队中进球最多的队员。从北京来青岛选国家青年队队员的教练，没选到青年队员，倒看上了我儿子，说我儿子大有希望，以后要带他到北京去。"

我禁不住跟他谈起本市足球界的一些著名教练。这位司机都很熟悉。他说，要不是一些特殊原因，他今天还在足球队。我这才注意到他的确很像运动员。

足球队：football team

自豪：proud

前锋：(football player) forward

❖读一读：

足球界　体育界　学术界

医学界　数学界　美术界

我说："你有个爱踢足球的孩子，球又踢得好，应该满足了。"没想到他说："这孩子不是我的。我的亲生儿子才5岁，还没上学呢！""那么……"我感到奇怪。

"他是我同事的孩子。"他的神情有些难过，"四年前，我这个同事和他的妻子先后去世，我看这孩子可怜，就把他接到家里来。这孩子爱踢足球，我就把他送到市少年足球队，只练了半年多，他就成了市少年足球队的主力队员。"司机的口气里充满了对"儿子"的爱。

"我儿子踢足球需要营养。可是，你想想，那时当运动员能挣[zhèng]几个钱？还得常常请假陪他去训练。我跟妻子商量了一下，就辞了职，借钱买了一辆车，开起了出租车。虽然起早贪（tān）黑，累一些，可挣的钱比当运动员多得多，可以给孩子多买些有营养的食品。到了下午孩子练球的时候，我就下班了，专门送孩子去训练，然后再把他接回家。这孩子还真行，球越踢越好。唉，这孩子的爸爸也非常喜欢足球，要是活着该多高兴啊！"司机说到这里，迅速地擦了一

亲生：one's own (children)

★ 同事的孩子为什么成了这个司机的儿子？

主力：top players of a team

挣钱：earn money
请假：ask for leave
辞职：resign
起早贪黑：work from dawn to dusk
✤ 比较"贪""含"，分别组词。

下眼睛。

我疑惑地问："你对同事的孩子这样好，你妻子没意见吗？"

"没有。她跟我一样喜欢这个懂事的孩子。她跟这孩子的父母以前也认识。我5岁的儿子跟这孩子处得也很好，老是哥哥长哥哥短的，叫得挺亲热的。"

说到这儿，车开到了我要去的地方。我掏钱给他，他就是不要，说我认识的足球界名人他也很熟悉，跟我也算是个朋友了。我把钱放在座位上就下了车。

出租车开走了，我心里很长时间也没能平静。我被人间的一种亲情深深地打动了。

（本文作者杜帝，有删改）

意见：complaint; objection

❖猜一猜"哥哥长哥哥短"是什么意思。

名人：famous person

★"我"心里为什么不能平静？

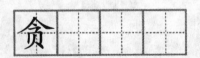

贪

亲情	打动	司机	自豪	前锋	亲生
主力	挣钱	请假	辞职	意见	名人
足球队	起早贪黑

圆滚滚，滚滚圆，

生来爱在地上转。

遭（zāo, suffer）脚踢，被头顶，

不进大门债难还。

（打一体育用品）

打那天起，不管下班多晚，我总是多绕一二里路来买他的报纸，并且尽量多买几份。

55 真诚还在

早春的一个傍晚，我因为办事，错过了买《北京晚报》的时间。我骑着车，一路寻找卖晚报的人。可是，天都快黑了，风又呼呼地刮着，卖报的大都早早地收了摊儿。我找来找去，就是没找到，只好失望地拐了个弯儿，准备回家。忽然，一阵吆喝声飘了过来：

"晚报，《北京晚报》！"

前边胡同口，一个青年正在晚风中挥动着几份报纸，嘴里不停地喊着。

我惊喜地靠上去，停下车："来份晚报！"边说边从钱包里掏出一张50元的钱。"您没有零钱吗？"他刚要用左手把报纸递（dì）过来，一看又停下了。我把钱包打开，举到他面前：里面确实只有几张50元的钱。他看了一

早春：early spring
错过：miss
晚报：evening paper

❖ 读一读，用"只好"造句。

时间晚了，我只好打的去。

下雨了，我忘了带雨伞，只好在这里躲一躲。

钱包：wallet; purse

递：pass; hand over
❖ 比较"递""梯"，并分别组词。

眼，没说话。

我沮丧地骑上车，刚要走，他喊住了我："报纸，您拿去！"我愣住了，没有用手去接。"一张报纸，没关系的。"他冲我说。我接过报纸，感激地说："谢谢，明天一定把钱给你送来。"

晚上，我舒服地靠在沙发上边看报边想："那个年轻人真的相信我明天会给他送钱去吗？他就不怕我骗他？"我是个生意人，很自然地产生了这种想法。

第二天一上班，我就准备好了零钱，打算下了班马上去找那个年轻人。没想到上午十点左右，一个电话从南京打来，说我们公司在那里申请投资的一个项目有了重大进展，要我立刻飞到南京。这样我不得不去南京三天。这三天里，不管是工作还是休息，我心里总是不安，似乎自己骗了一个信任自己的人。

回到北京，好容易到了下班时间，我立即骑车赶到那个胡同口。我接过一份新的《北京晚报》，递上一元钱，大声说："找两角！"他愣了一下："您不是只买一份吗？""您怎么忘了？"我不好意思地讲了上次买报的

★ "我"为什么有些沮丧？

沙发：sofa

♣ 想一想"生意人"是什么意思。

打算：plan; intend

公司：corporation; company
申请：apply for
投资：investment; invest
进展：progress; advance

信任：trust; have confidence in

事儿。他这才想起来，说："谢谢，谢谢您！""不，该谢的是你。谢谢你的信任！"我用力地握了一下他的手。

打那天起，不管下班多晚，我总是多绕一二里路来买他的报纸，并且尽量多买几份。每次，他也总是用感激的眼光望着我。其实，是他的真诚感动了我。

★ "我"为什么多绕路来买这个青年的报纸？

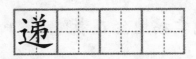

递   早春   错过   晚报   钱包   沙发
打算   公司   申请   投资   进展   信任

猜一猜

有位好朋友，
天天来碰头。
事事告诉你，
从来不开口。

（打一物）

泪水一下子流了下来：爹(diē)妈为了我和我的书已经付出太多太多，而我呢，继续把这地主爷当下去吗？

56 晒 书

在我们那个小山村里，我家可能是最穷的。从80年代末到现在，去沿海地区打工的人一批又一批，当我童年的伙伴们或多或少地往小山村寄钱时，我却花着家里的钱幸福地坐在教室里。

大学三年，每次放假回家，在山村外的马路上下了车后，人家肩膀上扛(káng)着的是给家里人买的衣服，各种水果或者营养品，当然，还少不了带着哗哗响的票子；而我，一个书包里装着的，是沉甸甸的书。说老实话，每当有人问：建勇，给爹妈买了什么好东西呀，那么重？我的头就不敢抬起来。

好在爹妈在物质上，并不企(qǐ)望什么。

转眼就到中秋节了。这是20世纪的最后一个中秋节，我决定回家陪爹

爹：dad; father

付出：pay; expend

地主爷：lord; master

扛：carry on the shoulder; shoulder

票子：paper money; bill

★为什么"我"的头不敢抬起来?

企望：look forward to

❖用"望"组几个词。

妈一起过。农历八月十四到家，和爹妈说了一晚上的话。第二天中秋，一大早便艳阳高照，我决定晒晒家里的书。

因为没有书柜，书便用两个大箱子和四个袋子装着，放在木楼上。妈和小妹帮我扫院子，爹则帮我到楼上搬书。

上下六趟，把书搬了下来。四个人一本本把书摊平，放好。好家伙，竟然差不多有半个院子！

爹、妈和小妹帮我把书在院子里放好后，就忙着准备过中秋的饭菜去了。我搬了张竹椅，在院子中央照看着。

金色的阳光暖暖地照在白白的书页上，微风吹过，院子旁边的两棵老树纷纷扬扬飘下了不少叶子，一片片黄绿相间地落在书页上。我开始还趴在书上把落叶一片片地拾起，后来，微风不停，叶落不断，我也懒得管了。最有趣的是家中的小鸡小狗，不时地凑过来，我把手一扬，它们飞的飞，跳的跳，吓得四处逃跑。

第二天，也就是农历八月十六，我离家返回长沙。在村口等车时，从

艳阳高照：bright sunny

书柜：bookcase; book cabinet

好家伙：good lord; good heavens

竟然：to one's surprise

❖仿照例句，用"竟然"造句。

　　喊了半天，他竟然没理我。

照看：attend to; look after

纷纷扬扬：flying or fluttering in
　　　　　　profusion

相间：alternate with

懒得：not feel like (doing sth.);
　　　　be disinclined to

凑：move close to; press near

来不大爱说话的爹突然说了句很有诗意的话。爹说：建勇，昨天你守书的样子真有点像过去守谷子的地主爷。

望着爹那消瘦的脸，我愣住了，泪水一下子流了下来：爹妈为了我和我的书已经付出太多太多，而我呢，还能继续把这地主爷当下去吗？

回到长沙，朋友们问我回家的收获，我笑了笑，不敢轻易说起晒书时的诗情画意。

（本文作者周建勇，有改动）

★ 用一两句话说说"我"听了爹的话后，心里会想什么。

消瘦：emaciated; thinning down

诗情画意：a quality suggestive of poetry or paintings; poetic charm

★ 为什么"我"不敢轻易说起晒书时的诗情画意？

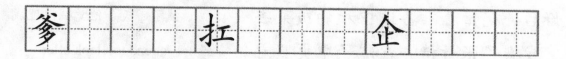

爹　　扛　　凑　　付出　　票子　　企望
书柜　　竟然　　照看　　相间　　懒得　　消瘦
地主爷　　好家伙　　艳阳高照　　纷纷扬扬
诗情画意

 读一读

书籍(jí, books)是全世界的营养品。生活里没有书籍，就好像没有阳光；智慧里没有书籍，就好像鸟儿没有翅膀。

—— 莎士比亚(Shakespeare)

虽然当时我很累，但望着那张着急的脸，我什么也没说，跟孩子的父亲又去医院抽了100cc血。

57 特殊的血型

我今年45岁，半辈子已经过去了。1977年以前，我根本没想到自己的血有什么特别的。

60年代，我在上海崇明的一个农场干活儿。有一次农场要献血，我想我身体好，平时连感冒、咳嗽、发烧都很少有，抽一点儿没关系，就去了。没想到医生一验血，说我的血不好，不要。这事把我弄糊涂了。医生又不告诉我为什么不好，也许农村的医生自己也不懂吧。不过，这事还真让我心里奇怪了好几年。别人还笑我是"怪血人"。

回上海工作后，1977年，单位又组织大家去义务献血。我想我得再去试试，看看自己的血到底怎么回事。那天刚验完血，几个医生就找到我，让我不要排队了，一个人到另外一个房间去献血。和医生聊过以后，我才

血型: blood group; blood type

农场: farm
献血: donate blood
感冒: common cold; catch a cold
发烧: have a fever
验血: blood test

组织: organize
义务: duty; obligation

知道自已的血为什么"怪"。

原来，人的血型最常见的是A、B、O、AB型，但还有MN、P、RH等非常少见的血型，我的血型就是RH型。听医生说，每一万个人中才会有一个我这样的血型。刚生下来的孩子如果得了溶血症(zhèng)，只有输我这种血才能救活。

献完血以后，医生反复告诉我："不要经常献血，要藏着，到时候我们会需要你的。"我问："如果我自己生病输血，是不是也要这种万分之一的血呢？"医生回答说："是的，这种血非常少，一万人只有一个，除了老人、孩子和身体不好的人，还有那些不愿意献血的外，愿意和能够献这种血的人在上海并不多。所以你要保护好自已的身体。"

然而真正感觉到自已的血很重要，是在1981年。那年春天的一个夜晚，外面下着大雨。我刚躺下不久，几个穿白衣服的人乘一辆出租汽车找到我家，说医院有个刚出生的婴儿得了溶血症，急需我的血去抢救。

我立即穿上衣服跟他们来到医院，一下子抽出了400cc血。一星期

★ "我"的血为什么怪？

溶血症: hemolysis

❀ 区别"症""病"并组词。

救活: bring back to life

生病: fall ill

输血: blood transfusion

★ 医生为什么要"我"保护好身体？

❀ 读一读，弄懂它们的意思:

　　抽血　献血　验血　输血

后，我正在家修房子，又来了一辆出租汽车，车上跳下一个男青年，介绍自己是我救的那孩子的父亲。他恳求说，孩子输血后脱离了危险，可不小心受了凉，拉肚子，身体虚弱，医生说还需要输点儿血。虽然当时我很累，但望着那张着急的脸，我什么也没说，跟孩子的父亲又去医院抽了100cc血。

第二年春节，那父亲抱着孩子，带着礼物来看我。这时我才知道，为了表示感谢，孩子的父亲给孩子取名"瑞德"。"瑞"是用我名字中的一个字，"德"是用那位雨夜开车找我的出租汽车司机的名字中的一个字。我们家不太好找，那天晚上，那位出租汽车司机在雨中找了好几个小时才好容易找到我。

（本文选自《瞭望》1990年第31期，有改动）

恳求：implore; entreat

受凉：catch a cold

拉肚子：have a loose bowels

感谢：thank

取名：give a name to

★孩子为什么取名叫"瑞德"？

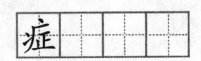

症

血型　　农场　　献血　　感冒　　发烧　　验血
组织　　义务　　救活　　生病　　输血　　恳求
受凉　　感谢　　取名　　溶血症　　拉肚子

病人：这么差的饭菜，叫病人怎么吃呢？
护士：你到医院是来吃药的还是来吃饭的？

人家科技致富才是真正的富啊，我多造一间房子算什么呢？

科技：science and technology

致富：become rich

 58 两亲[qìng]家比富

亲家：relatives by marriage

钟荣福是个运输专业户，这些年钱包鼓了，家里盖起了一栋（dòng）楼房。最近他儿子钟平爱上了苏阿根的女儿美兰。前不久，苏阿根提出要和女儿去钟平家做客。

运输：transport

专业户：specialized household

栋：a measure word for buildings

前不久：lately

钟荣福不知亲家家庭怎样，于是派人悄悄地去调查，一调查，把他吓了一跳。原来苏阿根是个蔬（shū）菜专业户，家里也有一栋楼房，院子里有果树，比自己还富。钟荣福是个怕丢面子的人，觉得男家矮女家一头，实在不光彩，决定赶在苏家上门前，再建一间新房，先在气势上压住苏家。

调查：investigate; survey

蔬菜：vegetable

主意拿定，连日修建，很快在新楼旁又建起了一间新房。

新房刚建好，苏阿根就带着女儿来做客。钟荣福高高兴兴地陪苏家父女参观自己的新房。苏阿根前后看

★ 他为什么想"先在气势上压住苏家"？

❀ 读一读，弄懂这些词语的意思：

连日　连声　连年　连天

连夜　连忙

过，连声称赞："亲家真行，我是比不上你啊！"钟荣福听了，心里高兴极了，哈哈大笑："凡事都有个先后，你们苏家一定会超过我们的。"两亲家吃完饭，又聊了很久。苏阿根临走时，邀请钟家父子有时间上他家做客，钟荣福痛快地答应下来。

钟荣福在亲家面前赢得了面子，心中十分得意。眼看上苏家做客的日子越来越近，钟荣福买了西装，又把鞋子擦得亮亮的。这天，父子俩来到苏家，受到苏家父女的热情招待。

一直吃到太阳快要下山，钟荣福站起身，准备告辞，苏阿根一定要留他们住一夜。钟荣福一个劲儿地摇头："不行啊，家里还有很多事，下次再来吧。"

这时，苏美兰朝窗外望望，突然惊喜地说："天要下雨了，你们走不了了。"

钟荣福忙说："不会的，刚才太阳还好好儿的。"

谁知不多一会儿，天突然阴下来。苏阿根忙起身关上门窗。外面果然下起雨来，而且越下越大。

苏阿根又给钟荣福倒满酒："亲

❖读句子，用"邀请"造句。

学校邀请了很多名人参加这次会议。

请你们接受我的邀请吧！

告辞：say goodbye to

❖用"突然"造句。

家，老天爷都留你，你就在这儿住一夜吧。"

钟荣福走到窗前，隔着玻璃朝外一望，可不是嘛，雨下个不停。钟荣福便不再推辞，回到桌边，高高兴兴地与亲家喝起酒来。

第二天一觉醒来，太阳已经很高了。钟荣福惦记着家中的活儿，连忙告辞。苏家父女不再挽（wǎn）留，送到大门口。钟荣福站在门口朝远处一看，不禁大吃一惊：外面的地都是干的！这就怪了，难道昨天晚上一场大雨都落在了苏家院子里？

看着钟荣福那出神的样子，苏美兰咯咯地笑着说："昨天我爸爸为留你，特意进行了人工降雨！"

原来，苏阿根为了抗旱（hàn），自己设计了台人工降雨机，专门用来浇灌果树和蔬菜，想不到昨夜把亲家给蒙住了。

钟荣福知道了真相后，心里一个劲儿地责怪自己：人家科技致富才是真正的富啊，我多造一间房子算什么呢？

（本文作者倪(ní)国萍，有改动）

老天爷：Good heavens!

挽留：persuade sb. to stay

❖区别"挽""换"，并组词。

降雨：rain; rainfall

抗旱：fight a drought

浇灌：irrigate; water

真相：the real facts; truth

★钟荣福为什么"责怪自己"？

|栋| | | | | |蔬| | | | |挽| | | | |
|旱| | | | | | | | | | | | | | | |

栋　　　　科技　　　　致富　　　　亲家　　　　运输　　　　调查

蔬菜　　　　告辞　　　　挽留　　　　降雨　　　　抗旱　　　　浇灌

真相　　　　专业户　　　　前不久　　　　老天爷

背一背

归园田居①

陶渊明

种豆南山下，草盛豆苗稀。

晨兴理荒秽②，带月荷锄③归。

道狭④草木长，夕露沾我衣，

衣沾不足惜，但使⑤愿无违⑥。

———————————

① [归园田居] 共五首，这是其中的第三首。
　　意思是回到田园家乡居住。
② [荒秽(huì)] 丛生的杂草。
③ [荷(hè)锄] 扛着锄头。
④ [狭] 窄。
⑤ [但使] 只要让。
⑥ [违] 违背，违反。

妈妈说的"你是个好心肠(cháng)的小姑娘"总像阳光从头顶洒下，照进我的心里。

59 阳光洒下来

大院门口忽然来了个修鞋的老伯伯。老伯伯的手很巧。只要不下雨，他就来。我几乎每回都站在鞋摊儿边上看一会儿。经常是看他干活儿。有时候也会盯着他的脸看上片刻。他不说话，一张脸有点儿干，皮肤红黑，皱(zhòu)皱的。

为什么修鞋的人样子都差不多？为什么修鞋的人都有这样的肤色？我呆呆地想。

我是个长得小小而不怎么会表达的女孩儿，脑子里好像总有想不完的事。从我家到学校没有车，我每天背着双肩包晃过去半个小时、晃过来半个小时，有时脚会不自觉地小跑一阵子又停下来慢吞吞地走，东看西看、东想西想。

双肩包是紫色的。有一天，它忽

心肠：heart

大院：courtyard

片刻：a short while; a moment
皱：wrinkled; creased

肤色：color of skin

脑子：mind

双肩包：double-shoulder-harness
　　　　bag
自觉：consciously
慢吞吞：at a leisurely pace;
　　　　unhurriedly

然从我的肩上滑了下来，一边的带子断了。

"老伯伯，您可以帮我缝好吗？"我举着书包问。

"我看看。"老伯伯低下头，看着我手中的东西。他的眼镜滑在鼻梁上，很像看报纸的外公。

老伯伯接过我的书包，又那样看我，说："把书拿出来好吗？"

我说："好。"

我们一起取出里面的书。

老伯伯捏（niē）着断了的线头，将书包放在缝鞋机上，小心地对好压好。那机器像缝纫（rèn）机般走起来，但速度慢多了。

他忽然停住了。

"针断了。"老伯伯轻叹一声，从脚边的箱子里找出个小包，抽出一根针换上。

我一愣，仿佛有什么东西轻轻拍了一下心脏。

"好了。"老伯伯直起腰，把放在凳子上的书往包里塞。

我转回神，飞快地把书都塞进书包里，又飞快地取出口袋里折得皱皱的钱，塞到老伯伯的手里，说："零钱

鼻梁：bridge of the nose

外公：(maternal) grandfather

♣ "又那样看我"指的是怎样看我呢？

捏：pinch; hold between fingers

线头：the end of a thread

缝纫机：sewing machine

♣ 区别"纫""韧"并组词。

凳子：stool

不要找了。"

"哎——哎——"老伯伯像不知道怎么办好似的，终于一把又抓住我的书包，说："我看看，还有什么地方要缝。"他拿过书包，仔仔细细地检查，然而没有找到。"哎——哎——"他又说。

我跑回家，很怕挨大人骂。但忍不住，还是告诉了妈妈。

"哈哈哈！"妈妈笑了，"傻丫头，你给老伯伯的钱可以买很多针呢！"

我一下子慌了。妈妈笑嘻嘻地走过来，双手捧住我的脸，说："你是个好心肠的小姑娘。"说完，她没有立即松手，仍捧着我的脸，一双好看的笑眼盯住我看。

以后经过大院门口的鞋摊儿，老伯伯总是对我笑。我则轻声叫他。妈妈说的"你是个好心肠的小姑娘"总像阳光从头顶洒下，照进我的心里。

（本文作者张洁，有删节）

★ 老伯伯为什么又抓住了"我"的书包?

丫头: girl

★ 妈妈为什么说我是好心肠的小姑娘?

松手: loosen one's grip; let go

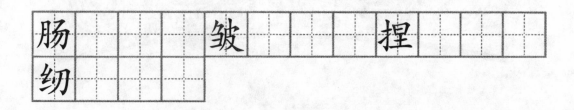

皱　　　捏　　　心肠　　　大院　　　片刻　　　肤色
脑子　　　自觉　　　鼻梁　　　外公　　　线头　　　凳子
丫头　　　松手　　　双肩包　　　慢吞吞　　　缝纫机

登 太 阳

爸爸对妈妈说:"人类登上月球,现在已经实现了,科学的发展真了不起。"

小冬听了说:"登月球有什么了不起？将来我们还要登太阳呢！"

爸爸说:"太阳会把人烤焦（jiāo, burn）的。"

小冬说:"你真傻,我们不会晚上去吗？"

喝茶并不是主要目的，他们主要是想参加社会活动，增进人与人之间的交往。

 60 成都的茶馆

中国南方跟北方有很多不同的习惯。在南方有不少人每天的第一件事是喝茶，成都就是这样。这里说的喝茶不是在家里，而是去茶馆。

现在在许多地方你很少见到茶馆，而在成都的大街小巷到处都可以看到写着"茶"字的招牌。我听人说成都人天不亮就去喝茶。真有人早晨不睡觉特意去喝茶吗？于是我也起了个大早，来到一家叫"东湖茶园"的茶馆。

果然，这里五点就开门了。茶馆里灯光明亮，茶香飘飘，早已有三四十位茶客在座。他们有的一个人独自静坐，有的三五个一桌说话聊天。服务员手拿一把铜壶来回走动，谁的茶喝完了，他就给谁添上水。

门外仍不断有人进来。我坐下来

茶馆：tea-house

❖ 用"馆"组几个词。

★ 中国的南方跟北方都有哪些不同的习惯，试着把你知道的说一说。

大街小巷：streets and lanes

茶园：tea garden

茶客：customer of a tea-house

服务员：waiter; attendant; steward

❖ 想一想这里的"添上水"是什么意思。

要了一碗茶，只花了一块钱，真便宜。服务员说，如果自己带茶叶来就更便宜，只要五毛钱就行了。时间是不限的，一直可以坐到下午关门的时候。

茶馆早晨的营业叫早堂，这时的茶客差不多都是老年人。一位茶客告诉我说："喝早茶对身体有好处，喝习惯了不喝就觉得难受。"所以这些老年人都是这里的常客，天天见面。他们坐在一起，能说会道的天南海北说古道今，不爱多说的静静听听也挺有意思。这时的茶馆实际上是老年人的乐园。

我仔细地看着周围，这些茶客中有男的，也有女的，多数人还带着篮子。窗外的天空刚刚出现一点儿亮光，茶客们就起身，提着篮子，互相招呼着出门离去。服务员说："老茶客们买菜、吃早饭去了，早饭以后还会回来。南方的很多城市每天的蔬菜鱼肉都是在早晨的市场上买的，过了8点市场上就没有人了。"

茶馆白天的情况跟早堂不太一样。白天各种各样的人都来，除了老茶客以外，有旅游路上走累了来休息的，有节假日无事来茶馆坐坐或者下

★ 你能说说这些茶馆的好处吗？

常客：a frequent customer

能说会道：have a glib tongue; good
at expressing oneself

天南海北：discursively; ramblingly

说古道今：talk from ancient times
to the present

★ 茶馆白天的情况跟早堂有哪些不一样的地方？

棋的，还有来谈生意会朋友的。

离开"东湖茶园"，我在成都的大街小巷中走着，又看到了不少茶馆。这些茶馆跟"东湖茶园"一样很简朴，很便宜，是人们常去的地方。近年来又时兴起一种音乐茶座，比较讲究，又有音乐，那是年轻人常去的地方。其实，不管老年人还是年轻人，喝茶并不是主要目的，他们主要是想参加社会活动，增进人与人之间的交往。

坐茶馆是成都的古风，至今仍然盛行。

茶座：seats in a tea-house or tea garden

♣读一读：

茶馆　茶园　茶客　茶座

茶壶　茶叶　茶杯　茶水

古风：ancient customs

茶馆　　茶园　　茶客　　常客　　茶座　　古风

服务员　　大街小巷　　能说会道　　天南海北

说古道今

215

读一读

九日与陆处士羽①饮茶

皎(jiǎo)然

九日山僧②院，

东篱③菊也黄。

俗人多泛酒④，

谁解助茶香。

---

① ［陆处士羽］ 即陆羽。处士，隐居的人。

② ［僧(sēng)］ 和尚。

③ ［篱(lí)］ 用竹子、树枝等编成的用来遮挡的东西。

④ ［泛酒］ 一般地喝酒。

生字表

1	lián 廉	wū 呜	tóng 铜	yì 役			
2	jiāo 跤						
3	mèng 孟	pín 贫	fàn 贩	tú 屠	zhèng 怔		
4	zhèn 振	xuān 宣	ráo 饶	dōng 咚			
5	yuān 渊	shǐ 驶	tǎn 坦	bì 避			
6	gǔn 鲧	shùn 舜	zhǒng 肿	qiàn 歉	xié 协		
7	jiū 纠	huǎng 谎	shì 释	bǎng 榜			
8	jiù 臼	cāo 糙	jiǎo 搅	bēng 绷	jiāng 浆	luǎn 卵	cù 促
9	sì 寺	qìng 磬					
10	bì 臂	liáo 疗	yù 愈	zhèn 镇	wǔ 捂		
11	mò 茉	lì 莉	mí 弥	dīng 叮	qiáo 憔	cuì 悴	
12	rě 惹	jiá 荚	zhōng 衷	chà 刹			
13	tān 瘫	huàn 痪	pí 脾	zào 躁	chuí 捶	dāo 叨	mǐn 敏
14	diàn 惦	yū 淤	ǒn 藕				
15	kā 咖	fēi 啡	liè 岁	nè 讷	nán 喃	yào 钥	shi 匙	chún 醇

217

16	zhǎ 眨	qún 裙	yù 郁				
17	cháng 偿	zhěn 诊	là 蜡	yuè 阅	jū 掬	píng 坪	xǐng 擤
18	qiàng 呛						
19	tǔ 吐	jiāng 僵	jīn 巾	hùn 混			
20	bàn 拌	gōng 攻	āi 哀	jué 倔	zhā 楂	jǔ 沮	jú 橘
21	piān 翩	piě 撇	máng 芒	xuàn 绚			
22	wān 豌	rù 褥	diàn 垫	róng 绒	gè 硌	yǎng 痒	
23	pú 葡	táo 萄	xiàng 橡	hān 鼾	qiāng 枪	tián 填	
24	qì 砌	guàn 罐					
25	xùn 逊	zhī 蜘	zhū 蛛	wén 蚊			
26	hóu 喉	hān 酣	chú 橱	lí 鹂	zuì 醉		
27	qiè 惬	mù 幕	cuàn 窜				
29	mó 膜	sī 撕	niǔ 钮	chǎng 敞	jūn 菌		
30	qī 漆	dié 碟	chèn 衬				

31	gū 估	hè 褐	zhàn 湛	chún 纯	yíng 莹			
32	xiōng 汹	qiè 窃	suō 梭	zéi 贼	zǎo 藻	yùn 蕴	méi 煤	
33	shì 饰							
34	tóng 瞳	dā 耷	chǒng 宠					
35	xùn 驯	zhuǎ 爪	zhēn 榛	duò 舵	ruì 锐	chà 叉	xiǎn 藓	zhuī 锥
36	mó 魔	yù 吁						
37	rèn 韧	gòng 贡						
38	zhí 殖	tàn 炭						
40	dǎo 蹈	guǐ 轨	ké 壳	lín 鳞	áo 遨			
41	xìng 杏	yùn 酝	suō 蓑	sǒu 擞				
42	róng 榕	xí 袭	shū 疏	liáo 辽	yíng 盈			
43	nián 黏	biē 憋	jiào 酵	wéi 维	sī 厮			
44	bì 避	mián 眠	kǎn 槛	cōng 葱	qié 茄	hú 狐	mǎ 蚂	yǐ 蚁
45	chán 蝉	tán 谭	zhòu 咒	xuàn 炫	miáo 瞄			

46	cí 慈	cāng 苍	liáng 梁	méng 萌	zhè 蔗
47	bǐng 屏	qù 觑	cháng 嫦	é 娥	zhí 执
48	lǐn 凛	liè 冽	lù 滤	dǎo 祷	
49	jiàn 涧	lú 芦	pú 蒲	cóng 淙	xì 隙
50	xiāng 镶	chéng 澄	wāng 汪		
51	gǎng 岗				
52	pìn 聘	chún 唇			
53	zhì 稚				
54	tān 贪				
55	dì 递				
56	diē 爹	káng 扛	qǐ 企		
57	zhèng 症				
58	dòng 栋	shū 蔬	wǎn 挽	hàn 旱	
59	cháng 肠	zhòu 皱	niē 捏	rèn 纫	

词语表

1	审问 清官 着想 破旧 关切 油条 钱袋 呜咽 铜钱 大胆 差役 小偷 油花 机智 变戏法 清正廉明

2	拉 齿 口子 生产 敬爱 供应 按时 树根 松动 铁匠 省力 把手 方便 能干 摔跤 化身 集中 集体 连根拔起

3	出息 继承 贵族 清贫 坟地 送葬 小贩 屠夫 慎重 礼节 欣慰 功课 哈欠 怔怔 讨价还价 前功尽弃

4	饶 纪律 兵法 振兴 爽快 干脆 宫女 服从 集合 广场 队长 宣布 下令 好笑 交代 严厉 带头 军事家 斩钉截铁

5	寄托 渔夫 行驶 迷失 亮光 村庄 平坦 躲避 灭亡 临别 背弃 诺言 当地 太守 安宁 外界 幻想 红艳艳 世外桃源

6	肿 无情 淹没 负责 测量 分析 思路 工地 指甲 艰苦 耽误 谢绝 好意 要紧 道歉 鼓舞 克服 功劳 齐心协力

7	勤奋 品德 高尚 基本 一旦 摆脱 纠缠 哄骗 亲口 撒谎 口气 解释 当真 榜样 许诺 言而有信 千方百计

8	捣 搅 绷 竹简 轻便 麻布 石臼 粗糙 纸浆 颤抖 墨迹 改进 促进 草木灰 鹅卵石

9	磬 厨师 解馋 食欲 顺手 寺院 特地 名堂 乐器 上联 下联 门第 美食家 香喷喷

10	臂 疗 捂 右臂 将士 军营 伤势 敬重 治疗 只管 英雄 气概 铁环 愈合 镇定 伤口 喜出望外 谈笑风生

11	病房 清香 弥漫 黄昏 随手 急病 出差 叮嘱 憔悴 心疼 陪床 早点 麻木 茉莉花 轻手轻脚

12	惹 世间 受骗 卡片 亲密 被窝 豆荚 顶嘴 由衷 家族 资料 保管 手迹 演讲 收藏 印刷 异国 关怀 一刹那 甜言蜜语

13	怀念 瘫痪 脾气 暴躁 沉寂 捶打 敏感 诀别 艰难 昏迷 成年 高洁 深沉 烂漫 毛毛虫 絮絮叨叨

14	藕 惦记 去世 火化 骨灰 水渠 淤积 背心 莲蓬 仿佛 博大 丰盛 乳汁 悠远 降临 赤条条 滑溜溜 一辈子 不知所措

15	咖啡　贺卡　恶劣　文具　讪讪　喃喃　香醇　情谊　圣诞节　钥匙链　若有所思
16	眨　谜底　裙子　有限　忧郁　细眯眯　细妹子　老头子
17	搀　相处　错事　清单　赔偿　门卫　紧急　蜡烛　翻阅　影集　拍照　宁肯 支票　草坪　眼泪　汽油　急诊室　笑容可掬
18	塞　呛　人生　旅途　别离　山城　留恋　含糊　默然　海关　频频　无力 分隔　洗手间
19	僵　混　同龄　狂欢　出声　交际　杰作　围巾　拥有　夫妻　好容易　吞吞吐吐 微不足道　烟消云散
20	拌嘴　攻击　阵线　求援　电器　听话　悲哀　忘怀　境界　独立　倔强　柜台 沮丧　汽水　情绪　高涨　狂热　男子汉　山楂片　橘子水
21	涉水　阶梯　勇气　黑暗　效劳　撅下　上空　贮水池　翩翩起舞　光芒四射 绚丽多彩
22	硌　痒　王子　豌豆　王后　障碍　不幸　专程　考验　被褥　床板　垫子 自称　娇嫩　鸭绒被　天晓得　电闪雷鸣　风吹雨打　如愿以偿
23	枪　填　祖母　虚弱　残忍　橡树　异样　打鼾　恰巧　猎人　肚皮　天鹅绒 葡萄酒　老太婆
24	砌　象棋　军棋　脸盆　说服　做梦　砖头　农村　土地　车轮　油罐　闯祸 优点　炼油厂　东游西逛　天安门广场
25	按　被子　只顾　凑近　逊色　蜘蛛　蚊子　结网　质问　讲理　暗害　绕圈子 另一头　意想不到
26	回响　鸟笼　歌喉　酣睡　橱窗　尾翎　一向　山雀　黄鹂　陶醉　动听　索性 停止　金丝鸟　百灵鸟　铁丝架　一股脑儿
27	窜　流浪　天才　高空　漫游　心脏　惬意　稀薄　气流　幕布　极光　火箭 毕竟　火花　实验室　平流层　电离层　断断续续
28	腾　新奇　看台　不满　触角　风格　轰动　试用　高潮　遥控　足球迷　核电站 体育馆　主席台　机器人　进行曲　一举两得　鸦雀无声
29	膜　撕　太空　医院　奇异　打针　钮扣　散开　抢救　细菌　感染　促使 飞船　圆形　加油站　天花板　吸引力　注射器　飘飘悠悠

30	漆黑 话筒 飞碟 联系 变色 皮包 高速 暖和 衬衣 自动 电钮 圆满
	真诚 增进 友谊 外星人 玩花样 打手势 可视电话 天外来客
31	估计 涨潮 风浪 表面 温暖 军舰 本色 纯净 晶莹 顺便 灰蒙蒙
	黄褐色 湛蓝色 肃然起敬 汗毛倒竖
32	巴 煤 物产 汹涌 是否 行进 警报 传递 伸缩 梭子 普通 免费
	长途 峡谷 海藻 蕴藏 稀有 显微镜 窃窃私语 反作用力
33	漆 装饰 物品 包裹 绒布 物体 反射 吸收 平铺 利用 特性 远航
	煤灰 发挥 恰恰相反
34	皮衣 宝石 瞳孔 奔拉 目标 应付 长度 直径 绝招 能耐 强烈 刺激
	灵敏 听觉 温顺 宠物
35	舵 驯良 面容 敏捷 轻快 爪子 野兽 露水 捕捉 榛子 警觉 锐利
	分叉 苔藓 圆锥形 纵横交错 端端正正
36	延长 刀叉 面条 道具 自如 使唤 随意 应用 原理 关节 神经 结论
	呼吁 魔术师 物理学 物理学家 生理学家 心灵手巧
37	坚硬 物质 家具 凉席 钢筋 韧性 保存 不只 怒放 喜爱 管理 茂盛
	供给 贡献 现代化 平易近人
38	盘子 箭法 步行 火球 温度 繁殖 柴火 煤炭 地层 凝成 热量 杀菌
	预防 抵得上 摄氏度 水蒸气 寸草不生
39	岁月 变幻 大气 大量 降低 气温 沙漠 温差 阻挡 散失 干燥 调节
	两极 终年 改善 水库 扩大 改造 太阳系 植树造林
40	外表 舞姿 不愧 轨道 运行 外壳 仪器 鳞片 倾斜 强度 遨游 舞蹈家
	大气层 百叶窗 人造卫星
41	杏 落地 健壮 湿润 酝酿 卖弄 衬托 和平 蓑笠 抖擞 工夫 欣欣然
	捉迷藏 赶趟儿 花枝招展 呼朋引伴
42	榕树 青春 亭亭 归人 老者 游子 空袭 疏散 漫长 大陆 枕头 米酒
	沉醉 辽阔 轻盈 排解 情不自禁
43	黏 憋 世俗 发酵 喷涌 思维 脱离 多余 清凉 冷静 厮杀 自嘲
	美文 美妙 音符 内心 黏乎乎 头晕眼花
44	葱 逃避 午睡 睡眠 充实 领略 门槛 茄子 南瓜 娇贵 狐仙 蚂蚁
	模样 扰乱 牵挂 笑呵呵

45	蝉 瞄 玩赏 例外 生怕 魔鬼 符咒 轻纱 炫耀 天牛 交换 赠送
	偶尔 录音带 金龟子 天方夜谭 心花怒放 完美无缺
46	曲解 慈母 哀伤 霉烂 干枯 苍白 衰败 谷子 高粱 棉花 墨菊 属于
	母体 萌生 温床 品质 甘蔗
47	亏 屏气 明显 嫦娥 争执 酥酥 灿灿 面面相觑 大呼小叫
48	精灵 喧闹 刺耳 凛冽 过滤 丰厚 赐予 思索 温情 祈祷 手舞足蹈
	不以为然 一成不变 冰清玉洁
49	地带 山涧 汇合 芦花 柳絮 绒毛 白玉 淙淙 照耀 洞隙 蒲公英
50	镶 水晶 假若 安适 唤醒 摇篮 依靠 实现 慈善 越发 护士 肌肤
	秀气 贮蓄 况且 澄清 蓝汪汪
51	下岗 稳定 单位 破产 下班 可口 夜班 老婆 主动 老公 一塌糊涂
	家务活儿
52	经理 秘书 招聘 应聘 嘴唇 冷饮 酸奶 西装 精干 零钱 记性 坏事
	专心 胖乎乎 牛仔装 办公桌 自作主张
53	特 直线 号码 稚嫩 为此 正面 反面 全体 合影 电话费 幼儿园
54	亲情 打动 司机 自豪 前锋 亲生 主力 挣钱 请假 辞职 意见 名人
	足球队 起早贪黑
55	递 早春 错过 晚报 钱包 沙发 打算 公司 申请 投资 进展 信任
56	爹 扛 凑 付出 票子 企望 书柜 竟然 照看 相间 懒得 消瘦
	地主爷 好家伙 艳阳高照 纷纷扬扬 诗情画意
57	血型 农场 献血 感冒 发烧 验血 组织 义务 救活 生病 输血 恳求
	受凉 感谢 取名 溶血症 拉肚子
58	栋 科技 致富 亲家 运输 调查 蔬菜 告辞 挽留 降雨 抗旱 浇灌
	真相 专业户 前不久 老天爷
59	皱 捏 心肠 大院 片刻 肤色 脑子 自觉 鼻梁 外公 线头 凳子
	丫头 松手 双肩包 慢吞吞 缝纫机
60	茶馆 茶园 茶客 常客 茶座 古风 服务员 大街小巷 能说会道 天南海北
	说古道今